LA JOIE QUI SOULÈVE
LES MONTAGNES

MAGUY LEBRUN

LA JOIE
QUI SOULÈVE
LES MONTAGNES

(The joy that raises mountains)

ROBERT LAFFONT

2/97

Préface

« *La haine est la langue du diable, comme l'amour est la langue des anges* », écrit Maguy Lebrun.

Ce troisième livre dénonce les méfaits de la haine, les souffrances indicibles qu'elle provoque, comme il montre magnifiquement tous les miracles que l'amour peut accomplir.

Maguy et Daniel ont aujourd'hui le sentiment qu'ils approchent du bout de la route. Ils tenaient à rassurer les milliers de personnes qui les ont suivis et attendent encore d'eux qu'ils les guident, les conseillent et les aident, en leur faisant savoir que « la relève » est assurée et que leur œuvre ne disparaîtra pas avec eux. L'amour qu'ils ont semé à travers le monde portera longtemps encore ses fruits.

Au bout de toutes ces années, il importait de faire un bilan, de s'interroger sur leur vie, sur ce qu'ils laisseront derrière eux. Ils ont de quoi être fiers : d'eux, de leurs nombreux enfants, de leurs innombrables amis, de tout ce qui croît autour

d'eux, comme joies, espoirs, consolations, guérisons parfois, celles du corps ou celles de l'âme.

Maguy parle à tous avec simplicité, avec ses
mots, ceux du cœur et parfois aussi ceux de la
colère contre la cruauté de certains hommes, mais
sans jamais désespérer d'eux tout à fait.

Pour ma part, l'ayant accompagnée à travers
chacun de ses livres, je sais qu'elle n'a pas trahi
sa mission, que l'amour le plus totalement désin-
téressé demeure « le moteur » dans lequel elle
puise toute sa force et que jamais elle ne doute
de cette foi qui soulève les montagnes et sait que
cette foi, sans joie, est aussi stérile qu'un désert.

Joëlle de Gravelaine

Avant-Propos

Je suis moine bouddhiste depuis une quinzaine d'années, dans la tradition tibétaine, et la voie enseignée par le Bouddha me permet de mieux comprendre comment développer la sagesse, l'amour et la compassion — valeurs primordiales.

Une notion plus importante encore est celle de bodhisattva, c'est-à-dire vouer sa vie à la réalisation du bien d'autrui par une mise en pratique de ces valeurs dans sa vie quotidienne.

Lorsque j'ai pris connaissance de l'action déployée depuis tant d'années par Maguy et Daniel, j'étais en retraite méditative pour plusieurs années dans un monastère tibétain. Dès la fin de cette retraite, j'ai souhaité rencontrer ce couple. Cela m'était d'autant plus facile que le village qu'il habite, Champier, est à une dizaine de kilomètres de celui où vivent mes parents.

J'ai alors découvert deux êtres débordant de chaleur, de joie, de simplicité vraie, et qui, aujourd'hui encore, inlassablement, écoutent, consolent, partagent, donnent à tous ceux qui souffrent.

Cette rencontre m'a permis de comprendre que, s'il est important de s'asseoir sur son coussin de méditation, de se rendre à l'église ou à la mosquée, cela ne suffit pas et qu'il faut prolonger la prière par des actes, concrets, dans la vie de tous les jours. Prier pour la paix dans le monde, c'est faire la paix autour de soi, avec son époux, son épouse, sa famille, ses collègues de travail, son voisin malade ou en fin de vie.

Maguy et Daniel sont, pour moi et des milliers de personnes dans le monde, un exemple de bodhisattvas de notre temps. Je souhaite que ce livre, comme les précédents, touche et transforme la vie de tous ceux qui le liront en une vie d'amour, de joie et de partage.

Les années ont passé, mais il n'y a pas de retraite. Pour les bodhisattvas. Maguy et Daniel poursuivent leur chemin sans se soucier d'eux-mêmes ; l'amour les guide. Que ces quelques lignes soient pour eux mon témoignage de reconnaissance et de profonde amitié. Je voudrais terminer en citant une phrase du Dalaï-Lama qui résume parfaitement ce qu'est la vie de Maguy et Daniel :

« La religion sous toutes ses formes a pour racine la compassion sans limite. La compassion, l'amour et la générosité constituent l'essentiel de mon message. Ces vertus sont indispensables à notre vie quotidienne, et elles le sont encore plus pour toute l'humanité. La pratique de ces vertus est d'une importance capitale. »

Lama Tsultrim

Nous vivons une ère de consommation : chacun doit posséder — pignon sur rue, voiture, téléviseur, etc. —, pour être considéré par son voisin.

Tous les jours, dans les informations qui nous sont transmises par les médias, nous entendons les échos de la violence, de la guerre, de la souffrance du monde.

Nous connaissons les problèmes du chômage, des exclus, du racisme, des martyres d'enfants.

Chacun se dit : « Que puis-je faire ? »

Je souhaite que ce modeste livre apporte un début de réponse ; il y a tant de bonnes volontés sur la Terre.

Je dédie ce livre aux millions d'anonymes qui œuvrent modestement pour aider, là où Dieu les a placés.

Je dédie ce livre à ceux qui, depuis tant d'années, marchent dans l'ombre à mes côtés ; sans leur fidélité et leur compassion, aucun groupe d'accompagnement n'existerait.

À tous les médecins, infirmières, thérapeutes qui ont, par amour, ajouté une dimension spirituelle à leur art.

LA JOIE QUI SOULÈVE LES MONTAGNES

Je dédie ce livre à tous les hommes qui veulent bien, tout simplement, se donner la main.

Maguy Lebrun

Le temps passe.
Le monde change.
Nous sommes, Daniel et moi, en fin de notre vie
terrestre.
C'est le temps des bilans.
C'est le temps des plus... des moins...
Qu'avons-nous fait de notre vie ?
Chemin jonché de souffrance.
La souffrance venue à nous chercher apaisement.
Chemin jonché d'espérance.
Espérance du malade qui veut guérir.
Espérance du mourant, qui veut croire en la vie
de lumière, de l'autre côté du miroir.
Espérance de la future mère qui va enfin donner
la vie, après des années d'attente.
Chagrin des amis perdus.
Chagrin de rencontrer le mensonge, là ou régnait
la confiance.
Chagrin qu'apporte la calomnie qui blesse.
Chagrin devant l'ingratitude.
Chagrin de se sentir démuni parce qu'on a mal.
Difficulté à pardonner, parfois.

LA JOIE QUI SOULÈVE LES MONTAGNES

Joie de la famille.

Joie de la tendresse des enfants, bonheur de leur réussite.

Caresse des petits bras autour de notre cou.

Réunion de tous, pleine d'amour.

Fierté de voir l'admiration dans les yeux des enfants.

Comme il est bon, ce petit bisou !

La joie des yeux qui scintillent devant le sapin de Noël.

C'est tout ça une vie.

La vie d'un homme, la vie d'une femme.

L'avons-nous réussie ?

La vie est comme le sentier en montagne.
Avec des montées, des descentes, des virages,
Pour arriver tout en haut, il faut marcher.

Le 8 décembre, Daniel a eu soixante-dix ans ! Déjà ! Mais où sont passées toutes ces années ? Hier, mais oui, hier, il était ce jeune homme alerte, vif, joyeux, que s'est-il passé ? Une vie. La vie d'un homme.

Je crois pouvoir dire un homme de bonne volonté, généreux et serein. Sans lui, aucun groupe d'accompagnement n'existerait. Sa médiumnité, lourde charge morale et spirituelle, a été un fardeau, une mission difficile à accepter mais complètement assumée. Il a pour elle sacrifié sa situation, son ambition, toujours dans l'ombre, dans le silence.

Dans l'amour, au service de celui qui souffre, Daniel n'a jamais dit : « Je suis médium. » Jamais il n'a accepté de rencontrer un « client », jamais il n'a accepté un centime. Instrument du Ciel, au service de Dieu, au service de l'homme, dans l'effacement et l'humilité les plus complets. Il croit avec ferveur en la vie éternelle. Il croit en l'amour divin. Il croit en la puissance de l'amour et du partage.

Il a toujours accepté, sans même réfléchir, d'ouvrir sa porte à l'enfant sans foyer. Il a donné sans compter. Il a été l'exemple du rêve devenu réalité : acquérir la sagesse.

Le jour de son anniversaire, nous étions tous les deux tranquillement à table, face à un merveilleux coucher de soleil. Tout en dînant, nos yeux éblouis contemplaient, à travers les arbres qui nous entourent, le ciel embrasé. Ce sentiment de bonheur, de reconnaissance, qui souvent nous submerge devant la beauté immatérielle de la nature, nous envahissait peu à peu. Quand, tout à coup, nous entendons chanter. Et nous vîmes une espèce de procession aux flambeaux, soixante-dix bougies qui brillaient dans la nuit, portées par tous nos vieux compagnons. Nos frères, nos sœurs, les pionniers des groupes d'accompagnement. Ceux qui, depuis trente ans et plus, marchent, fidèles, à nos côtés.

Avec eux avançaient vers nous nos élans passés, les souffles de vie, les espoirs, les élans d'amour, que nous avions partagés depuis si longtemps et partageons encore.

De quelle lumière, ce soir-là, étaient-ils annonciateurs ?

De quelle vérité étaient-ils porteurs ?

De quelle foi étaient-ils le véhicule ?

Je me suis dit : ils nous apportent l'amitié. La paix. Ils accomplissent la promesse que nous avions faite, tous ensemble, il y a bien longtemps, de rester unis, malgré les tempêtes de la vie.

Ils étaient grands et beaux, ce soir-là, nos copains.

Je me suis dit : de chaque bougie va jaillir l'étincelle, cette étincelle unie à l'autre, qui est la grande lumière, bien vivante, bien présente, qui a illuminé nos existences, qui nous a permis de vivre, avec l'esprit de l'amour, à la rencontre de l'éclair divin.

Mais nous sommes tous des hommes ; les exigences matérielles ont vite pris le dessus. Comme par magie, des bouchons de champagne ont sauté gaiement.

« Bon anniversaire, Daniel ! »

Les fleurs, les cadeaux déposés, chacun a regagné sa voiture.

Nous sommes restés, émus, silencieux, regardant les soixante-dix bougies multicolores dont les flammes se reflétaient dans le toit vitré, nous offrant une couronne céleste, dansante, étoiles d'or vivantes d'amour pur, d'amour fraternel, de grandeur, qui nous submergeaient comme une vague.

Nous avons alors laissé ces petites flammes briller toute la nuit en l'honneur de la Vierge. Puisque c'était le 8 décembre.

Nous avons la chance d'habiter près d'un oratoire dédié à la Vierge, dans un bois à Champier, petit village de France, vallonné et boisé, où il fait bon vivre.

Je suis revenue à Champier de la même façon que les éléphants retournent toujours mourir sur leur lieu de naissance. Mes parents étaient des agriculteurs, des gens du pays.

Ce retour aux sources est définitif, je suis si contente d'être là !

La réaction des habitants a été très sympathique. Ils me considèrent comme la « Maguy » de l'ancien temps, du moins ceux de mon âge. Parfois on imagine Maguy Lebrun comme une légende, mais je ne suis pas une légende, je suis comme tout le monde ; ils me connaissent comme je suis et c'est très bien.

Avec mes amis d'enfance, c'est souvent la détente, ponctuée de jeux de cartes, de Scrabble. Il y a plus de gentillesse, de respect de voisinage, que de curiosité.

Daniel et moi ne pourrions plus vivre ailleurs, nous sommes dans la nature, l'air pur, les arbres. Lorsque nous retournons en ville, nous ne supportons plus le bruit ni la pollution...

Bon nombre de nos amis ont pleuré lorsque nous avons quitté Grenoble, mais nous sommes partis quand même, car nous n'appartenons à personne. C'était nécessaire, nous avions besoin de la forêt, du bonheur, des valeurs plus réelles, plus naturelles.

J'ai retrouvé mes racines. Je pense à mes parents, à mon enfance. Vivre une vie de paysan, c'est un cadeau. Les enfants de paysans ne se rendent pas compte de la chance qu'ils ont ; ils sont au contact permanent de la nature, des arbres, des oiseaux. Les véritables richesses, ces enfants-là les ont en eux. C'est un garde-fou contre les tentations, les dérapages de la vie.

Mes parents étaient des gens équilibrés ; malgré leur pauvreté, ils nous enseignaient les vraies valeurs. Nous étions heureux. Au printemps, maman nous chantait les chansons du printemps, l'hiver des chansons de neige, à Noël des cantiques. C'était l'apprentissage de la vie à travers les saisons.

Mes deux plus grandes richesses ont été d'une part mon enfance paysanne, d'autre part mon contact avec le Ciel.

MON CREDO

Notre parcours peut être un éclair,
Une éternité... Mais il est !

Je crois en la prière.

La prière est un lien entre le ciel et la terre.

La prière tisse des chemins de lumière, emplis d'espérance.

C'est une force.

C'est l'offrande du meilleur de notre âme à Dieu.

Sa puissance est infinie.

La prière traverse les barreaux d'une prison.

Elle allume une petite flamme dans notre esprit, qui éclaire les instants trop sombres de la vie. La prière fait naître la paix, la sérénité.

Une maman m'appelle un soir, au téléphone, désespérée. Elle n'a qu'un fils, médecin ; elle a tant lutté, seule, pour l'élever de son mieux ; elle a fait des ménages pour payer de longues études. Il est beau, il est fort, adore sa petite maman. Son travail hospitalier l'éloigne parfois d'elle, mais le bonheur de l'entendre souvent au téléphone compense la peine de la séparation.

Puis arrive le drame, brutal : elle apprend qu'il est

19

très malade, qu'il va mourir, une maladie grave le terrasse. Il revient vivre ses derniers instants dans les bras de sa mère.

Tous les soirs, cette maman douloureuse mais athée me téléphone : « Que faut-il faire pour l'aider ? Je ne sais pas... J'ai trop mal ! »

Chaque jour, je lui parle de la prière, je lui apprends la prière qui va aider son enfant ; nous prions en silence, quelques instants au téléphone... Un soir, elle me dit que son petit entre dans le coma, très agité. Le médecin n'arrive pas à le calmer, elle est complètement affolée.

J'explique calmement qu'elle doit prier à voix haute, demander à son fils de partir tranquillement, que son esprit entendra, même hors du corps.

« Maguy, sanglote-t-elle, je ne peux plus parler, je lui mets l'appareil à l'oreille, dites-lui vous-même. »

C'est ainsi que j'ai accompagné mon premier malade par téléphone, vers cet au-delà de lumière, notre vraie patrie à tous.

Le malade, au bout de quelques instants, s'est calmé, puis endormi, pour s'arrêter de respirer deux heures plus tard.

Je suis certaine que l'impact, la force de la prière ont été aussi bénéfiques que la morphine. Pauvre petite maman, frappée si durement par l'immense peine qu'est la perte d'un enfant ! Mais elle m'a déclaré, quelques mois plus tard, qu'elle avait dans sa détresse trouvé la foi.

Cette foi profonde dans la force de la prière, qui aide à cicatriser, à faire face, à vivre ! Il faut apprendre à nos enfants à se servir de cette manne céleste, qui peut les sauver un jour.

Un homme qui prie seul est une petite bougie allumée. Dix hommes, un cierge. Cent hommes, une pyramide de lumière qui peut protéger des petits enfants.

Je crois aux actes.

Aux actes immédiats, aux actes gratuits.

Je crois en l'acte d'amour, qui peut aider, soulager, réconcilier quelquefois un humain avec lui-même, avec les autres.

Qu'est-ce qu'un acte d'amour ? Un partage, un sourire, une main tendue, une écoute, un repas pris en commun.

Là où nous sommes.

Là où Dieu nous a mis.

Regardez autour de vous, dans l'immeuble, dans le village, à l'usine, sur les lieux de travail, dans la rue... partout...

Regardez avec des yeux qui voient.

Écoutez avec des oreilles qui entendent. Vous serez surpris.

Il n'est pas nécessaire d'aller méditer en Inde, ni de faire de très coûteux séminaires, avec des « soi-disant maîtres » pour évoluer.

Etty, mon guide, m'a toujours dit :

Un acte d'amour tous les jours est le moyen le plus rapide d'évolution spirituelle. Mais il est aussi le plus humble, celui que chacun peut accomplir à son niveau, dans l'ombre, au gré des besoins, des rencontres.

L'acte d'amour s'accompagne de sincérité, de tendresse, de compassion et de joie. Il est l'élan du cœur spontané pour celui que l'on ne connaît pas ou que l'on ne reverra jamais ! Imaginez que tous les hommes fassent simplement un tout petit geste d'amour, chaque jour, autour d'eux ! La face du monde en serait changée, c'est un rêve ! Il est si beau, parfois, de rêver !

Comme il est difficile pour notre jeunesse d'accomplir un acte gratuit, de simple altruisme, si, dans sa famille, l'exemple n'a pas été donné !

L'école, où l'instruction civique n'est plus enseignée ; le monde, où les hommes se battent ; la corruption tous les jours sur les écrans de télé ; la violence, la drogue, le chômage sont-ils des éléments éducateurs ? Nous sommes tous responsables à tous les niveaux. La violence des écrans, de la rue, fait, hélas, que des enfants, à notre époque, n'ont plus de repères et peuvent devenir, sans en avoir conscience, des assassins. Pauvre terre !

Lorsque j'étais jeune, j'avais appris à céder ma place aux personnes âgées, dans les transports ou ailleurs...

À l'école, j'avais appris le respect des autres, des plus fragiles... Actuellement, je vois souvent à l'arrêt d'un bus, par exemple, des adolescents se ruer pour une place à l'intérieur, bousculant la petite mémé tremblotante ou encombrée. Je vois parfois des gens d'un certain âge céder leur place à plus âgés qu'eux. J'ai vu aussi une jeune fille se lever gentiment dans un tram grenoblois, au bénéfice d'un handicapé, je me suis dis : enfin ! Hélas, elle n'était pas française !

Je crois en l'amour.

Sans amour que deviendrions-nous ?

Quoi de plus beau que l'amour d'une maman pour son enfant ?

Qui n'a pas été ému, un jour ou l'autre, par deux amoureux sur un banc public ?

L'amour est la base de toute famille bâtie dans la joie.

L'amour n'est pas vouloir l'autre à soi, mais marcher avec lui vers le même idéal.

L'amour est un bouquet de roses qui répand ses

essences grisantes, pour ceux qui les respirent. Comme les fleurs, il se cultive.

Parfois sur notre route, nous rencontrons des êtres rayonnants qui nous attirent par la lumière de leurs yeux, par leur sourire. Ces êtres qui irradient de joie ont cette aura bien spéciale, parce que l'amour les habite. À leur contact, dans et par leurs vibrations, on peut respirer le bonheur.

Il devrait y avoir des professeurs de bonheur, des professeurs d'amour, comme existent des professeurs d'anglais.

L'amour humain est le pâle reflet de l'amour divin, l'un peut conduire à l'autre. L'amour, la fraternité dans nos groupes d'accompagnement nous ont prouvé si souvent la réalité de l'amour thérapeute, de l'amour guérisseur.

Tous ceux qui ont sacrifié leur vie par amour nous ont donné la preuve de cette évidence. Si nous arrivons à sortir du champ de la dualité pour retrouver notre essence intime, la route sera plus facile. Si nous comprenons et pratiquons la loi divine, nous reconnaîtrons nos erreurs, tirerons leçon de l'échec.

Si l'amour nous habite, si nous sommes à l'écoute du ciel, des étoiles, nous serons tolérants, généreux, fraternels.

Ce n'est pas très facile, nous ne sommes pas parfaits...

La vie est ambassadrice des cieux, elle est nécessaire à notre évolution. Il n'est jamais trop tard pour faire mieux.

Le temps viendra des magiciens de Dieu, nous sommes tous immortels, mais nous pourrions gagner tant de temps...

Sur notre planète Terre, pas une larme, pas une souffrance n'est perdue. L'effort, le sacrifice, parfois l'amour nous conduisent sur un chemin de lumière, de vérité, qu'il faudra de gré ou de force prendre un jour.

La voie de la sagesse nous est offerte à tous, elle passe par la voie de l'amour, du partage, du respect, de la tolérance.

Ainsi pour cette rencontre avec nous-même, avec les autres, avec Dieu, il sera bon avant la fin du parcours de faire une pause, de regarder en arrière ce bébé devenu enfant, adulte, vieillard.

A-t-il bien œuvré ?

Quelles sont ses actions de vie ?

Est-il fier de lui ?

Nous atteindrons ainsi l'expérience de l'éternité que nous révèlent les anges de lumière. Chaque fois que, face à nous-même, nous pouvons dire : j'ai fait ce que j'ai pu, quelque chose scintille au fond de notre conscience ; l'étoile Espérance se lève...

Alors cette vie, l'avons-nous bien vécue ?

Première partie

LE BILAN D'UNE VIE

Bienheureux celui qui peut lire l'admi-
ration dans les yeux de ses enfants.

Heureux ceux qui ont appris à leurs enfants à ouvrir leur cœur, leurs yeux, leurs oreilles, leurs mains à celui qui souffre.

Les enfants ne se nourrissent pas que de lait, de pain, de sucre, ils se nourrissent d'exemples.

Comment un enfant peut-il respecter ceux qui lui font la morale, si eux-mêmes la bafouent ?

Les enfants ont chacun leur propre identité, leurs qualités, leurs défauts, leur avenir. Nous devons les respecter. N'obligeons pas nos enfants à nous ressembler. Encourageons leur liberté.

Nous avons eu beaucoup d'enfants, biologiques, adoptés, recueillis, épaulés sur une durée de un an à quinze ans. Tous aimés ; le temps du besoin d'un foyer. Le virus s'est propagé et ces enfants ont attrapé le virus du social, si je puis dire : aider autour d'eux, adopter des enfants à l'occasion, à leur tour.

Certains ont des dons que le Ciel leur a accordés.

Parmi eux, Bernard. Bernard est doué pour les plantes, les arbres, la main verte en quelque sorte ! Il est cultivateur de bonsaïs. Avant de commencer ce travail qui est devenu vocation et passion, il a bien sûr demandé la permission au Ciel, par l'intermédiaire d'Etty.

La réponse est une légende à elle seule.

« Les bonsaïs sont des arbres cosmiques. Il est dit qu'ils sacrifient volontiers leur hauteur pour leur évolution. Le bonsaï est l'habitat du génie de la famille. C'est un arbre porte-bonheur. »

Le mot bonsaï signifie « arbre cultivé sur un plateau ou en pot ». C'est en Chine, environ deux cents ans avant J.-C., que l'art du bonsaï a pris naissance grâce aux moines bouddhistes.

Réservée, à l'origine, à des gens fortunés, la culture du bonsaï s'est répandue au Japon, surtout entre 1862 et 1912. Après l'occupation américaine consécutive à la Seconde Guerre mondiale, la contagion a gagné les États-Unis puis l'Europe. En France, elle se développe depuis 1970 dans toutes les couches sociales.

Cet engouement ressenti par des gens d'origines très diverses tient à des raisons non seulement esthétiques, mais aussi métaphysiques.

À l'aide de différents ouvrages *, nous pouvons approfondir le côté « spirituel » du bonsaï. Un bonsaï est créé à partir d'une graine ou d'une bouture d'arbre normal, sans aucune manipulation génétique.

La miniaturisation se fait en taillant les branches, les racines, et en les cultivant dans un petit volume de terre. Un pommier bonsaï de 20 cm de haut, âgé de quinze à vingt ans, peut atteindre en quelques

---

* G. GENOTTE, *L'art du bonsaï* (Éd. De Vecchi, 1990), I. et R. SAMSON, *L'art du bonsaï* (Éd. Dargaud, 1985), A. MARCEL, *L'esprit du bonsaï* (Éd. Nathan, 1993).

années plusieurs mètres de hauteur s'il est replanté dans un jardin.

Pour obtenir un bonsaï, en plus de connaissances botaniques, il faut du temps, de la patience et de l'amour. Il faut respecter la vie qui est en lui, suivre ses exigences, sans imposer des formes trop abstraites et non compatibles avec l'essence que l'on cultive en pot.

En Asie, les bonsaïs sont considérés comme des objets religieux et les moines bouddhistes font de leur contemplation un exercice de méditation. Pour eux le bonsaï lie la terre au Ciel : arbre vertébral, axe du corps, il est un chemin qui peut mener à la spiritualité. Il symbolise l'éternité (un ficus, un chêne, un tilleul peuvent vivre plusieurs siècles).

En Asie, les petits arbres se transmettent de père en fils (patrimoine familial !), véhiculant les principes de respect de la nature.

En donnant lentement une forme à l'arbre, en le soignant, en l'aidant, nous apprenons l'humilité, la patience et la sagesse. Par les soins répétitifs que nous apportons à notre petit arbre nous prenons conscience du processus de la croissance et du devenir.

La passion pour les arbres nains s'accompagne souvent d'une meilleure connaissance de la nature.

On est surpris et heureux de se découvrir un autre regard sur les arbres : on ne les voit plus, on les « regarde », donc on les respecte.

Il en résulte une prise de conscience accrue de tous les aspects du paysage et un respect de la différence, car chaque arbre comme chaque individu est unique et différent.

Contrairement à une peinture ou à une sculpture, un bonsaï n'est jamais achevé. Le bonsaï est une œuvre de création personnelle qui engendre fascination, admiration et respect et qui naît de l'alliance de la Passion et du Temps.

Bernard a le don. Le don de faire pousser. Visiter sa serre est un véritable enchantement. Des centaines d'arbres nains nous parlent, nous instruisent.

Pour le côté esthétique, « botanique », vous pouvez venir les voir pour le plaisir des yeux.

Au printemps (mi-avril), pour les floraisons.

À l'automne (octobre), pour les feuillages aux couleurs étincelantes.

Bernard et Danielle, son épouse, ont trois enfants. Deux adoptés, un fabriqué maison. Leur petite fille est très adaptée aux petits arbres, elle a les yeux bridés...

Danielle a eu des contacts privilégiés, qu'elle dit « presque humains », tant ils étaient naturels, avec Etty, notre ange de Lumière.

Pour elle, Etty est une amie, une confidente, une grande sœur. Elle est sa référence, sa sécurité. Bien souvent, chez tous nos enfants, un temps de réflexion se fait, avant de prendre une décision.

« Qu'en pense Etty ? » Elle est pour eux, qui ont tous eu le bonheur de l'entendre, comme une grande sœur, sage, expérimentée, qui peut tout comprendre.

Ils connaissent : Etty pleine d'humour, Etty pleine de compassion, Etty sévère, dure, exigeante, mais Etty, toujours ange de Lumière, présent, concret, qui représente une dimension spirituelle nécessaire à leur mieux-vivre, mais surtout une certitude, une preuve concrète de Vie après la Vie terrestre, c'est-à-dire une certitude de Vie éternelle.

Lorsque, au cours des dernières années de son parcours sur Terre, la maman d'Etty est venue vivre avec nous, Danielle, comme tous nos enfants, tous les membres du groupe d'accompagnement de l'époque, l'ont beaucoup aimée, beaucoup gâtée, c'était leur grand-mère chérie. Après son départ pour le Ciel, Etty est venue remercier ceux qui en quelque sorte l'avaient remplacée dans son devoir filial, leur promettant son aide, selon ses possibilités, en cas de difficultés... si Dieu le lui permet.

Quelques mois plus tard, Danielle, hospitalisée, subit une intervention chirurgicale délicate. Sa sortie du centre hospitalier, dix jours plus tard, est décidée enfin, lorsque, la veille, une complication subite, accompagnée d'une forte poussée de fièvre, interdit son départ. Le chirurgien est inquiet.

Mais Danielle, confiante en la puissance de la prière et en l'aide d'Etty, attend le soir, moment de silence, pour se confier à Dieu, à ses anges, sans oublier au passage de rappeler à Etty sa promesse ! Elle s'endort, mais est réveillée avec l'impression d'être dans un lac. Sa chemise de nuit, ses draps sont à tordre tellement elle a transpiré. L'infirmière appelée, un peu surprise, l'a changée, mise au sec.

Le lendemain matin, le thermomètre affichait 36°6 C. On lui demanda si elle n'avait pas secoué le thermomètre pour le faire baisser.

Le chirurgien, peu après, au vu de sa forme physique et morale, donna l'autorisation de sortie !

Mais un vilain petit saint Thomas, qui passait par là, glissa à l'oreille de la patiente que ce ne pouvait être que le fruit du hasard !

Au matin, je compris tout de suite pourquoi tout allait bien. La veille au soir, Etty m'avait dit en plaisantant : « Ça arrive ! J'ai dû soigner sans toi cette nuit, sans passer par tes mains. » J'avais cru qu'elle était intervenue auprès d'un de mes amis, gravement malade, et hospitalisé.

« Pas du tout ! » m'a dit Etty, lisant dans ma pensée.

En voyant l'état satisfaisant de Danielle, j'ai compris que le petit saint Thomas n'avait plus qu'à bien se tenir !

La deuxième intervention du Ciel a été différente, combien plus émouvante ! Danielle, mariée depuis des années, désirait un enfant, quoi de plus normal !

Rien ne venant, Etty consultée demanda environ sept ans de patience. Mais cette vertu n'étant pas le fort de Danielle à l'époque, la voilà révoltée, rageant contre la terre entière, tout en sachant pertinemment que sa fragilité physique ne lui permettrait peut-être pas de conduire une grossesse à terme.

Les sept années passées, enfin une promesse d'enfant arrive ; Danielle est enceinte ! La famille est en joie, en prière pour que tout se passe bien.

Mais la destinée n'est pas toujours rose, les épreuves de la vie pas toujours évitées ! L'accouchement vire au cauchemar, une césarienne nécessaire se déroule très mal et laisse Danielle en piteux état. Le bébé est emmené en réanimation. La maman est entre la vie et la mort. Des hémorragies nécessitent plusieurs transfusions sanguines, puis se greffent de graves problèmes rénaux, qui provoquent une crise d'urémie. Danielle sombre dans l'inconscience.

Toute la famille, les amis, le groupe de Grenoble entrent en prière. Quand les liens familiaux sont forts, l'ombre de la Mort qui plane arrête le temps, malgré la foi. Chacun vit au ralenti, les pensées tournées vers la malade, tous désirent farouchement la guérison, surtout s'il s'agit d'une toute jeune maman.

Les jours passent, Danielle ne va pas bien, la fièvre persiste... Finalement, le chirurgien ami, qui nous connaît bien, depuis longtemps, comptant sur notre sagesse, notre travail de guérison spirituelle, laisse partir sa patiente toujours sous perfusion, avec un traitement médical sévère, espérant en le miracle de l'amour, de la prière, du milieu familial.

À partir de ce jour-là, Etty, fidèle à sa promesse, peut apporter une aide plus concrète, plus directe. Par l'intermédiaire de l'excellent instrument médiumnique qu'est mon mari, elle parle, encourage, grâce à mes mains, elle soigne. Une intervention rénale est évitée de justesse.

Le bébé va bien, il nous est rendu sans aucune séquelle. Sa présence, l'amour des siens, la somme de pensées positives, d'énergie, de tendresse, la chaîne des mains des amis, qui tous les soirs à 20 h 30 viennent prier avec nous, l'aide des médecins de la Terre et du Ciel, font que notre malade reprend, petit à petit, force et courage.

Il a fallu environ six mois pour que la guérison soit totale. Il y a maintenant dix-huit ans de cela. Sur le plan médical pur, cette expérience est une folie. C'est bien plus tard que Danielle a su le véritable diagnostic sur son état, les terribles risques encourus, le miracle véritable de sa guérison.

ENFANTS ADOPTÉS,
ENFANTS ÉPAULÉS

Dernier de mes enfants adoptés, Hugo dit avoir été un enfant très heureux au milieu de tous ses « frères et sœurs ».

Je pense qu'il l'est également avec la famille qu'il a créée, avec sa femme et ses filles. Mais il dit aussi faire partie de la fraternité des adoptés ; même si l'adoption est réussie, ils traînent souvent la blessure de l'abandon.

Dans son enfance, cette absence de racines était impalpable mais se traduisait par « Tu m'aimes, maman ? », question posée tous les jours. « Je t'aime, moi, si fort que je ne me marierai jamais ! Je resterai toujours avec toi ! »

Il s'est marié à vingt ans. Il a battu tous les records dans ce domaine ! Son mal d'être se traduisait par des sottises. Il fallait s'occuper spécialement de lui, tout lui était bon, comme, par exemple, donner un coup de pied à son frère et se mettre immédiatement à hurler « il m'a battu ! », pour que je le console, lui, et gronde l'autre ! Là c'était le bonheur parfait, jusqu'au jour où je l'ai surpris !

La sagesse se faisait attendre mais, en grandissant, une foi très profonde s'épanouit en lui. Hugo est profondément croyant, très attiré par les problèmes des enfants. Au cours de ses études d'enseignant, il a fait des stages chez des enfants handicapés. S'il réussit c'est qu'il les a respectés profondément et leur a donné de l'amour, s'adressant toujours à l'esprit de l'enfant, essayant par ce moyen simple de faire passer un message spirituel.

Il disait : « Je suis né sur Terre pour aider les jeunes en difficulté », il voulait s'occuper d'autistes, mais la vie, ses imprévus l'ont empêché d'ouvrir une école. Le Ciel en avait décidé autrement.

L'an passé, pour la première fois, Hugo s'était montré très mystérieux dans son comportement. Lui si ouvert, si franc, devenait évasif, voyageait souvent, évitait les conversations intimes. Nous avons pensé, son père et moi, qu'il recherchait sa famille génitrice. Il arriva un peu gêné, un jour de grand soleil, un livre sous le bras. Hugo avait cherché et retrouvé ses géniteurs ; il avait écrit *J'ai choisi ma famille* *. Le titre primitif en était *Un lardon dans les épinards,* l'éditeur l'a refusé, dommage.

Si vous lisez ce livre, plein d'humour, véritable satire d'un milieu bourgeois pour qui un enfant est un « problème » qu'il faut liquider, vous serez partagé entre le rire et l'émotion. Écrire un livre constitue parfois une thérapie. Hugo a été totalement libéré de son passé, a vu clair en son avenir.

Il s'occupe maintenant d'adolescents et d'adultes, en rupture avec eux-mêmes, avec leur famille, avec la société. C'est un réconciliateur, un médiateur.

Tu te drogues ? Pourquoi ?

Tu es anorexique, tu refuses donc la vie. Pourquoi ?

Tu es intelligent, tu ne veux plus faire d'études. Pourquoi ?

On part de maintenant, d'aujourd'hui, pour aller vers demain... Le passé est le passé, on ne peut le

—————

* Éd. Robert Laffont, 1994.

changer. Le présent est très important, le présent prépare le futur.

Il n'est pas psychothérapeute mais plutôt un homme qui sait écouter la détresse.

Nous avons toujours dit la vérité à nos enfants, selon l'âge, leur faculté à recevoir cette vérité. Heureusement, car un enfant adopté, plus qu'un autre peut-être, ne peut pardonner le mensonge ou la dissimulation sur son histoire. Car nos enfants ne nous appartiennent pas.

Ce sont des esprits libres qui nous sont confiés. La seule richesse que nous pouvons leur offrir est la liberté de conscience et la foi, qui en feront des hommes forts.

Hugo et Thibault ne sont pas « physiquement » des jumeaux. Ils n'ont partagé ni le même œuf ni leur gestation dans le même ventre, mais ils sont frères, élevés par la même mère, le même père, dans la même cellule familiale. Ils sont tous les deux adoptés.

Leur complicité profonde n'a jamais empêché les bagarres. Mon Dieu ! Ce qu'ils ont pu se battre, immédiatement réconciliés si une tierce personne entrait dans leur jeu. Très différents de goûts, de caractère opposé, ils sont une parfaite paire de complices. Bien qu'il soit son aîné, Thibault s'est marié un an après son frère. Pendant quelques jours, Hugo a fait une véritable dépression : « Tu te rends compte, maman, ce ne sera plus comme avant entre nous ! » C'était un comble !

Mais les deux lascars ont vite trouvé la parade ! Ils venaient chaque week-end à la maison, se retrouvaient dans le même lit le soir pour discuter des heures durant des événements de la semaine. Il faut ajouter, pour être juste, qu'ils avaient épousé deux amies, mettant ainsi une chance de plus de leur côté, pour ne pas s'éloigner l'un de l'autre. Avec les « nanas » on ne sait jamais ! Mais les nanas, peut-être heureuses aussi de la situation, en riaient à gorge déployée.

Thibault est un manuel, très habile, capable de fabriquer un meuble, mais aussi d'installer l'électricité dans une maison. Pendant son adolescence, un don pour la peinture s'est développé en lui, mais, depuis quelques années, un véritable talent de photographe, de cameraman, est devenu sa passion. Il a réellement le don de saisir l'image, la justesse du cadrage, une vue parfaite « des choses » à enregistrer. J'espère qu'il aura l'opportunité d'en faire son métier.

Daniel et moi avons été très surpris, un peu émerveillés, en regardant la cassette de la fête de l'amitié. Nous ne pensons pas que de véritables professionnels auraient travaillé mieux que lui, compte tenu du matériel utilisé.

Thibault et Martine, son épouse, n'ont pas eu d'enfants biologiques ; ils ont adopté deux petites filles, l'une brune, l'autre blonde. Chez nous pas de problème, la tribu des adoptés est vaste ; elles ont trouvé leur place dans tous les cœurs. La famille de Martine est nombreuse également, l'esprit le même que le nôtre.

Ses parents (Papou-Mamou), pour les enfants, malgré le nombre, ont ouvert leur cœur, leur porte bien souvent ; ils ont récolté un enfant orphelin de mère, pendant plusieurs années.

Les petites bien accueillies dans les deux familles vivent la vie heureuse des enfants élevés dans la tendresse d'un « foyer chaud », avec plein de cousins et de cousines autour d'elles pour faire des câlins et des sottises ! Les grandes familles ne sont plus très à la mode dans notre société ; il est dommage que l'enfant unique ne puisse connaître ce partage si enrichissant.

Je me demande parfois si je n'ai pas créé une smala parce que, enfant, je n'avais qu'une petite sœur, aucun cousin. Ma mère était toute seule, mon père n'avait qu'une sœur célibataire. Il est dit : on ne choisit pas sa famille, je suis entièrement convaincue que chacun vient là où il doit venir, bien à la place qui est la sienne ; ce qui explique pour moi la merveilleuse chronologie des événements : l'adopté vient là où il doit vivre et évoluer. Combien de fois, en rentrant de l'école, mes enfants m'ont-ils dit : « Tu sais, maman, les autres disent que nous ne sommes pas de vrais frères, ce qu'ils sont bêtes, ils n'ont rien compris ! »

Thibault servait un repas, dans une soirée, pendant les vacances, pour avoir un peu d'argent de poche. Il entend une dame dire : « Pauvre petit, il faut qu'il travaille jeune, c'est un adopté ! » Il a jeté l'argent donné, de colère, à la poubelle.

Les enfants ne demandent ni à naître ni à être adoptés ; ils ne doivent aucune reconnaissance particulière à leurs parents, ils ont, ou devraient avoir tous les mêmes droits, les mêmes devoirs.

Lorsqu'un enfant arrive, le bonheur est d'être mère ou père. C'est un cadeau merveilleux. On l'accepte comme il vient.

Un couple sans enfant se décide pour l'adoption ; à ce moment-là, on leur confie une petite fille, Jane, parce que sa maman, malade, devait être opérée d'une tumeur au cerveau. Ils ont gardé quatre mois ce petit trésor, mais la maman guérie veut, bien sûr, récupérer sa fille. Après plusieurs mois de séparation, elle craint que « les parents de remplacement » souffrent de rendre l'enfant.

Jane est partie un matin chez sa mère. Le soir de ce même jour naissait ailleurs un petit garçon avec trois semaines d'avance sur les prévisions ; un petit Julien abandonné à la naissance par une mère dans l'impossibilité de l'élever, mais qui veillait soigneusement à ce qu'il ait tout de suite une autre maman. Julien était promis à ce couple sans enfant, mais tant que le bébé n'est pas né, il ne faut pas trop espérer, la génitrice pouvant se rétracter ; dans ce cas précis, tout a très bien « marché ».

En quarante-huit heures, tout était prêt, aussi bien la layette que les bras ouverts de ceux qui recevaient, en état de grâce, ce bébé du Ciel. Deux nuits blanches à prier. Un bonheur trop grand, il fait presque mal, tous les cœurs tapent vite.

La rencontre... moment inoubliable. Le poids du bébé dans les bras de sa mère, ensuite, la course dans les magasins. Un quart d'heure pour acheter couffin, landau, draps, biberons, stérilisateur... La tête stupéfaite de la vendeuse, à photographier !

Julien était beau, éveillé, vigoureux, coléreux, volontaire, très attaché à son père, c'est vers lui qu'il allait pour s'habiller, se coucher, et écouter l'histoire pour s'endormir.

Julien avait adopté ses parents. Il a poussé sans problème majeur. Il a maintenant vingt-cinq ans. Il va à son tour fonder une famille.

Pensez-vous en lisant ce récit qu'il est authentique, que cette sorte de miracle peut exister dans notre société, à notre époque ? Oui, si Dieu le veut.

Le plus souvent, l'adoption est un acte égoïste. Les parents se font d'abord plaisir à eux, tant le manque d'enfant est un vide à combler.

La phrase si souvent répétée : « C'est bien, ce que vous avez fait ! Vous avez du courage ! etc. », est absurde. Un enfant biologique peut naître parfois par « accident », un enfant adopté n'arrive jamais par accident.

Imaginez la révolte que peut éprouver l'enfant qui entend, enregistre plus qu'un autre de telles stupidités.

Nous avons vécu des histoires fabuleuses, si belles qu'il est difficile de faire partager un tel bonheur avec des mots. Je me souviens de cette maman à genoux devant un couffin, les larmes, perles de joie, ruisselant sur le visage, disant : « Merci, mon Dieu, merci, mon Dieu ! » L'émotion d'un couple avec leur aîné adopté, fixant le ciel dans un aéroport pour apercevoir enfin l'avion qui amenait leur petite fille du bout du monde ; le choc du premier regard, les membres de la Croix-Rouge qui passaient la porte un enfant dans les bras, certains pleuraient de fatigue ou de peur, une petite fille souriait : « C'est elle ! C'est elle ! » criait la maman en courant les bras grands ouverts, pour saisir ce minuscule trésor. « J'ai accouché dans un aéroport ! » me dit-elle.

Souvenirs fugitifs pleins de soleil, parfois drôles, émouvants toujours. Je revois la tête de l'infirmière dans une maternité en me voyant arriver avec un moïse : « Encore vous ?... » J'étais déjà venue la veille !

La belle-mère d'un de mes fils apprend que sa fille est stérile (ce que je savais depuis longtemps) ; très peinée, elle pleure dans mes bras : « Maguy, ils n'auront jamais d'enfant ! » Dans la pièce à côté se trouvait un bébé sur le point de naître, je ne peux pas lui en parler, car une mère a trois mois avant de décider définitivement de l'abandon de son enfant. Ce bébé immédiatement rejeté par sa mère était dans les bras de ses « parents » quelques jours après. Depuis, mon amie, si vite devenue mamie, croit aux miracles !

Je ris encore me souvenant d'une naissance à Grenoble, « surveillée » par une assistante sociale de la D.A.S.S. qui avait dit à une collègue (amie à moi) : « Cette fois-ci je coincerai Maguy Lebrun, je voudrais comprendre comment elle fait pour kidnapper tous ces bébés ! » Cette chère dame a monté la garde à la clinique, mais l'enfant est venu dans notre grande famille comme les autres. Comment je faisais ? Très simple.

Lorsqu'un enfant naît, la génitrice le reconnaît, puis elle signe un acte d'abandon en faveur du couple adoptif devant un magistrat. Elle dispose de trois mois, ensuite elle peut se rétracter et reprendre l'enfant ou valider l'acte. Ce n'est pas sans risque, me direz-vous ; la mère, évidemment, peut reprendre l'enfant ; mais lorsqu'une femme accouche elle prend aussi certains risques. La médecine, les examens, si perfectionnés soient-ils, ne peuvent empêcher de grands malheurs, tels que le handicap d'un enfant viable pour un tas de raisons ; j'ai visité des services de réanimation de nouveau-nés, les images en sont traumatisantes, des bébés prématurés très fragilisés vivent parfois envers et contre tout ; que deviendront-ils plus tard ?

L'autre danger, beaucoup plus terrible, peut surgir : quelle âme habite le corps physique, un ange ? Un démon ? Qu'en savons-nous ? Nous avons fait adopter bien des enfants, ils sont pour la plupart adultes, je peux affirmer avec le recul qu'ils sont tous beaux, normaux, responsables, adultes à part entière. Je regrette profondément lorsqu'on parle d'adoption, de parents adoptifs, que tout soit tout beau, tout gentil, tout rose, mais pourquoi ne donne-t-on pas la parole aux adoptés quand ils sont adultes, comme l'expliquent si bien Joëlle de Gravelaine et Fabrice Delfieu dans leur livre, *Parole d'adopté* * ? Car tout ne se passe pas toujours aussi bien. À mesure que les enfants grandissent, l'adolescence souvent difficile, même avec des enfants biologiques, peut voir les problèmes s'amplifier chez l'enfant venu d'ailleurs. Même si l'adoption est totalement réussie, l'acte d'abandon dont il a été l'objet peut fragiliser l'adopté ; s'il est d'une race différente de la famille, il peut en outre ressentir en lui l'appel du pays d'origine, avoir la curiosité de ceux de sa race.

Il faut en parler, dire au maximum la vérité sur les origines, comprendre la curiosité, le rêve parfois de notre enfant, et avoir toujours présent à l'esprit que, malgré tout l'amour que nous lui donnons, il ne nous appartient pas ; il est le fils de la terre, enfant de l'univers.

Pourquoi y a-t-il si peu d'émissions télévisées leur permettant de s'expliquer, de raconter leur vie, leur enfance, leurs joies, leurs chagrins, les erreurs infligées par des gens de bonne volonté, dont ils ont été victimes.

Un de mes petits enfants n'a plus travaillé à l'école depuis le jour où un enseignant lui a dit : « On ne sait pas d'où tu sors, peut-être d'une poubelle ! », devant tous ses copains.

Eugénie, à l'âge de huit ans, a assisté sans qu'on la voie à une conversation entre sa mère (ensei-

---

* Éd. Robert Laffont.

gnante) et une collègue, qui disait : « Comment avez-vous pu adopter un enfant qui peut être porteur de tares graves ? » Cette phrase l'a poursuivie pendant des années ; quand elle a dû passer par la classe de cette femme, elle a raté son année scolaire. « Il m'était impossible d'étudier avec cette " abrutie " », disait-elle.

Les adoptés adultes peuvent parler, ils ont beaucoup de choses à dire, de leçons à donner en dénonçant des pièges, des dangers auxquels les parents ne pensent pas toujours. Adoptés ou enfants biologiques, enfants du cœur, enfants du ventre, ils ont les mêmes chances de bonheur, mais les adoptés sont un peu plus fragiles.

La rencontre entre l'enfant et la famille est inoubliable, je crois que ce petit vient là où il doit venir.

Pour terminer ce chapitre sur l'adoption, je salue les « quarante-trois enfants d'ailleurs » qui sont passés entre mes bras avant de tomber dans un nid douillet, ils font partie des plus belles actions de notre vie, et des plus grandes folies dont Daniel et moi sommes si fiers ! Je ne peux résister à l'envie de raconter une dernière histoire : celle de l'enfant indien devenu grenoblois.

Ma petite amie Charlotte a toujours rêvé d'une grande maison remplie d'enfants. La vie, la maladie en ont décidé autrement ; à quarante ans bientôt, Charlotte commence à penser à l'adoption, à rendre un enfant heureux. Son envie d'enfant devient son objectif, son plan de vie, mais comment adopter un enfant quand on est célibataire, affligée de surcroît d'un handicap physique très visible, même s'il lui permet de vivre comme tout le monde ? Avec beaucoup de sagesse, Charlotte a apprivoisé la souffrance de sa solitude ; la démarche de l'adoption, pense-t-elle, ne peut se réaliser que si elle se sent bien dans sa tête, disponible, en acceptant totalement son état et, ainsi, en s'en libérant.

Elle était enfin prête pour être maman, il ne restait plus que l'accord du Ciel, elle pria beaucoup, avec ferveur, pour que Dieu en quelque sorte donne le feu vert. À cette époque Charlotte assista à une fête de l'amitié dans le sud de la France, elle rencontra une jeune femme rayonnante accompagnée de quatre beaux enfants couleur « café au lait », tous illuminés par le soleil du bonheur. La rencontre était un signe du destin : la maman était célibataire ! C'était donc possible, le rêve prenait forme !

Charlotte apprit qu'un enfant là-bas, très loin au-delà des mers, dans un orphelinat d'Amérique du Sud, attendait une mère. Le soir, à sa fenêtre, devant un ciel clair rempli d'étoiles, elle se mit à prier longtemps, avec intensité : « Mon Dieu, aidez-moi, est-il pour moi ? » La prière est parfois un bon somnifère, Charlotte s'endormit et fit un rêve, elle portait dans ses bras un bébé magnifique ; le bébé qui gazouillait devint brusquement grave, il dit avec une voix d'adulte :

« Ne t'inquiète pas, tout ira bien, nous nous connaissons, nous nous sommes beaucoup aimés il y a longtemps, nous allons nous aimer encore très fort, tout se passera très bien, ce sont des retrouvailles ! »

À ce moment précis il redevint un bébé, Charlotte sut alors, sans l'ombre d'un doute, qu'elle tenait son enfant dans ses bras, elle eut le sentiment difficilement explicable d'exploser en des milliers de particules de joie, d'amour ; elle a levé cet enfant à bout de bras pour le présenter à la terre entière dans un océan d'émotions. Elle se réveilla avec un sentiment de plénitude, de paix, le rêve était la réponse.

Puis à tous les niveaux : matériel, moral, administratif, tout alla très vite ; neuf mois exactement après ce rêve, Charlotte partit chercher son fils, dont la pensée ne l'avait plus quittée un seul instant. Ma fille Françoise l'accompagnait pour ce voyage du bonheur au bout du monde ; dans un grand aéroport international, trois petits oiseaux se posèrent à leurs pieds, nullement effrayés par le bruit et la foule, d'où venaient-ils ? Avez-vous vu des oiseaux se poser près d'un avion ? Elles comprirent qu'elles partaient à deux, et reviendraient à trois.

L'arrivée dans cette lointaine contrée, les nombreux bidonvilles, les militaires menaçants, l'arme au poing, la misère et la violence palpables furent leurs premières impressions. Une amie, « médecin aux pieds nus », les attendait pour les conduire à l'hôtel ; l'avocat qui s'occupait de l'affaire annonça à Charlotte qu'elle verrait son enfant dans deux, trois ou cinq jours... peut-être ! Mais le troisième jour, grâce au Ciel et à des amis bien placés, elle avait son fils dans ses bras. Lorsque l'enfant les a vues, il a immédiatement tendu ses petits bras à Charlotte, pas à Françoise. Charlotte à cause de son handicap ne pouvait pas courir au-devant de lui, elle m'a dit avoir eu le sentiment de se dédoubler et de voler à sa rencontre, portée par une force inimaginable ; elle affirme avoir su à cet instant qu'il avait toujours fait partie de sa vie... Dès le premier soir, Charles a dormi collé contre sa mère !

Les années ont passé, Charles a grandi, cet enfant splendide, aux yeux légèrement bridés, reste le plus grand des bonheurs, la plus belle réussite d'un grand amour au-delà des races, des bannières, des handicaps, des obstacles de toutes sortes... Mais ce que femme veut... Dieu ne le veut-il pas ?

Charles est un des éléments rapportés de cette grande tribu formée par « les biologiques, les recueillis, les adoptés, les épaulés » dont certains aujourd'hui sont pères, mères ou grands-parents.

Il nous est arrivé de « patronner » un petit « chien » perdu sans collier, sans attache, quelques années ; certains nous ont quittés, happés par la vie. D'autres sont toujours à nos côtés.

Mathilde a fait partie de cette nombreuse troupe d'enfants, d'adolescents un peu perdus, que nous avons pris dans nos bras, contre notre cœur, pour panser leurs plaies. Elle a trouvé un mari, a fabriqué deux beaux enfants, bercé à son tour une adorable poupée dont elle est la grand-mère.

Mathilde est arrivée un soir chez nous, ses yeux émerveillés contemplaient la table, l'immense table, nous étions souvent une vingtaine. Elle avait l'air d'un oiseau perdu, tombé du ciel. Nous l'avons tous adoptée instantanément !

Son père, un ancien militaire de carrière, avait quitté l'armée quelques années auparavant. Il avait été réquisitionné en 1940, et fait prisonnier. Il avait réussi à s'évader en sautant d'un train mais avait gardé le regret de ne pas être un héros... !

Mathilde, jusqu'à l'âge de six ans, a eu une enfance normale ; elle habitait la campagne, avait un frère, Antoine, avec qui elle pouvait jouer dans les champs et faire des bêtises. La famille était pauvre mais les enfants heureux ; le papa aimait bien son garçon, mais Mathilde était peut-être un peu jalouse du grand frère... !

Un jour, elle s'aperçut que son père rentrait rarement à la maison, que sa mère avait bien du mal à les nourrir. À cette époque leur petit chien est mort de faim. Un beau matin, sa maman l'a confiée à la voisine ; elle est partie avec Antoine, lui promettant de revenir très bientôt la chercher. Ce fut long, très long, pour la petite fille qui guettait au bout du chemin, tous les jours, si maman revenait...

Enfin, un jour, elle arriva, pour expliquer à Mathilde qu'elle allait vivre en ville avec son mari, mais que l'appartement très exigu ne pouvait pas la recevoir, ni son frère. Ils devaient aller en pension chacun de son côté. Une pension ! Pour une petite fille de sept ans, qui aime tant la campagne, cueillir des fleurs, parler aux fourmis, se rouler dans les prés, quelle tristesse !

Avec sa mère, ce jour-là elle a longtemps marché. C'était l'époque où certains convois militaires passaient, où les paysans se cachaient dans les fossés pour échapper aux coups de feu... ! Elles sont arrivées devant une grande maison grise, triste, sa mère lui dit : « C'est là ! Tu verras, les religieuses sont très gentilles. »

Arrive une grande dame habillée tout en noir, l'air très sévère, avec un visage tout blanc. Sa mère est partie, la laissant toute seule, en larmes.

Le soir, dans ce lit inconnu, Mathilde pensait : je ne reverrai plus maman, j'aurais dû lui tenir la main très fort, personne n'aurait pu m'arracher à elle... Elle se sentait coupable de ne pas l'avoir fait, les larmes redoublaient.

Les enfants s'habituent à tout en apparence, Mathilde acceptait cette vie morne, espérant de tout son cœur qu'une autre vie existait, plus chaude, où des mamans embrassent leurs petits enfants.

Elle était souvent punie, les sœurs avaient un cachot noir, elle était « sotte » et bavarde. Dans ce cachot, elle a rencontré une aide inattendue : la prière qui lui tenait compagnie. Si elle avait été une bonne élève avant, dans cette « pension », elle ne faisait rien. L'institutrice l'a mise en maternelle, jusqu'au jour où elle s'aperçut qu'elle savait lire, écrire, compter. Elle retourna chez « les grandes » à son grand regret.

Dans son village d'enfance, Mathilde aimait aller à la messe, on voyait tous les gens du village « endimanchés », on se connaissait tous, le prêtre était gentil, elle avait même joué le rôle d'un ange dans une crèche vivante à Noël.

À la « pension », il fallait toujours se confesser, enfermée dans une boîte en bois, où les petites filles sursautaient, quand, d'un seul coup, une trappe était tirée avec un bruit sec. Le curé était sévère, mais surtout il empestait une forte odeur de tabac. Il accusait toujours, comme dans un tribunal.

Enfin à treize ans, Mathilde échappa aux griffes des « bonnes sœurs », heureuse de retrouver la liberté. Hélas, le climat familial était très lourd : le père de plus en plus aigri, qui buvait un peu trop, la mère qui s'évadait dans les nuages, s'était construit un monde à elle pour survivre.

Mathilde partit travailler chez une tante peu de temps après, pour se retrouver bonne à tout faire, à quatorze ans. Ce fut l'exploitation, l'horreur !

À cette époque de grande souffrance, par on ne sait quel miracle, sa mère se ressaisit. Son père avait trouvé une situation de gardien dans une usine. Mathilde retourna vivre avec eux pour assister à des cours du soir, en travaillant le jour ; elle avait vraiment envie d'un métier. Elle entra à l'école de puériculture, à la ville voisine, et sortit major de sa promotion.

Son premier travail comme auxiliaire puéricultrice, elle l'obtint dans le Vercors : six mois, vivre dans ce merveilleux Vercors !

Ensuite, grâce au travail, à l'école d'infirmières, à notre rencontre et à notre tendresse pour elle, Mathilde-courage parvenait enfin au port ; jamais elle n'a oublié.

« J'ai vu dans tous les yeux, le premier jour, l'amour ; je me doutais bien qu'il existait, je ne l'avais jamais rencontré. »

Mathilde avait envie d'une pause, d'un repos, de poser son angoisse, comme on pose sa valise. Durant cette période elle était devenue notre enfant, comme tous les autres. Son diplôme d'infirmière en poche, elle vécut un premier échec sentimental douloureux, puis rencontra son mari. Elle est arrivée enfin à construire sa propre vie, son foyer, son équilibre.

Si Mathilde a fait face, si elle n'a pas sombré dans les moments trop lourds, c'est que Dieu l'avait dotée d'un pouvoir magique, le pouvoir de faire rire. Mathilde est un clown, elle a toujours ri de tout, elle nous a amusés comme jamais personne ne l'a fait. Lorsque nous montions un spectacle de variétés, avec tous les enfants, dès qu'elle arrivait sur scène, la salle entière se tordait de rire !

La vie ayant passé, son père enterré, Mathilde a récupéré sa mère. Jusqu'au dernier jour elle l'a aimée, entourée, gâtée. Mon mari et moi, nous nous sommes un peu « retirés », pour que cette grand-mère retrouve sa fille, ses petits-enfants, sans aucune gêne. Sa mère est partie à son tour, entourée d'amour, dans la sérénité. C'est pour moi le plus merveilleux de l'histoire. L'indifférence, l'éloignement, l'impossibilité d'assumer ses devoirs de maman, enfin oubliés, balayés par le pardon, la générosité, la tendresse de son enfant.

Mathilde ne s'est pas libérée de sa pauvre enfance par des psychothérapies, des soins médicaux, etc. Elle s'est libérée par son amour, uniquement son amour. Quelle leçon ! Quelle récompense aussi, car, de là-haut, devinez qui veille sur elle et sa progéniture ? Mathilde a été un cas parmi beaucoup d'autres.

Nous avons durant des années ouvert nos cœurs, notre porte, à des enfants démunis placés sur notre route. Nous ignorions s'ils seraient adoptables un jour... L'urgence, la détresse de leurs yeux nous obligeaient à agir rapidement pour ces petits oiseaux égarés qu'il fallait réchauffer. Ces orphelins temporaires avaient subi le traumatisme de l'abandon. Quelles qu'en soient les raisons, les séquelles seraient moins lourdes si l'amour d'une famille pansait leurs plaies à temps.

Nous nous trouvâmes souvent placés dans une situation totalement illégale jusqu'à ce que « Dame Justice », après une enquête serrée, nous autorise à recevoir des mineurs. Au grand désespoir de certaines employées de la D.A.S.S. absolument imperméables à nos motivations, incapables de comprendre pourquoi nous agissions de la sorte, nous privant de maigres avantages (allocations ou autres), auxquels nous aurions eu droit.

« Où était l'intérêt ? Mais ils sont fous, ces Lebrun !... »

Eh oui, un peu fous sur les bords ! Mais quand nous rencontrons nos anciens « protégés » que nous avons chéris, deux ans, trois ans, dix ans, vingt ans ! Devenus adultes, et certains grands-parents, ils nous disent en se jetant dans nos bras : « Vous êtes nos plus beaux souvenirs d'enfance ! » Alors nous sommes comblés.

Aimer, gâter un enfant, ne veut pas dire être permissif à l'extrême ; à la maison le câlin récompensait, la fessée punissait, à bon escient. C'est parce qu'ils sont tous « grands », structurés dans la vie, que je peux dire en toute quiétude ce que je pense de l'éducation des familles ou de la responsabilisation de ceux qui sans trop réfléchir tranchent, décident sur un dossier de la vie d'un enfant, ceux qui d'un coup de plume séparent des frères et sœurs, sans l'ombre d'un remords.

Encore aujourd'hui, ces milliers de lettres que je reçois disent les montagnes de souffrances d'enfants qui n'ont jamais pu guérir d'une enfance meurtrie par des gens de bonne volonté. Des parents désespérés par la conduite de leurs rejetons me demandent souvent : « Comment avez-vous fait pour assumer tous ces gamins sans problème majeur, quel est le secret ? »

Le secret est l'exemplarité, très jeune l'enfant imite inconsciemment ses parents, tout se joue avant dix ans ; l'enfant élevé dans la violence peut devenir violent à son tour. L'enfance blessée se guérit très difficilement, les cicatrices sont souvent indélébiles.

Parce que Annie a été mal aimée, sa vie de femme risque d'être brisée. Annie, à vingt ans, avait un regard éteint, une espèce de désespérance ancrée en elle que j'avais rarement rencontrée chez une fille de cet âge, un état de santé délabré, elle survivait entre l'hôpital et la maison de repos. Il a fallu de nombreuses rencontres, une écoute attentive, pour capter la confiance de la petite sauvageonne et lui faire aborder le récit de son enfance, de sa douloureuse adolescence. Née en Provence dans un milieu aisé, de parents qui exerçaient une profession libérale, elle avait deux frères beaucoup plus âgés qu'elle. Très jeune, Annie comprit qu'elle était probablement le fruit d'une tentative de réconciliation avortée ; elle allait payer cher cet échec. Son père cherchait hors du foyer ce qu'il lui manquait auprès de son épouse ; pendant ses dix premières années, Annie ne connut que bagarres, cris, injures ; sa place n'était « nulle part ». La situation du couple était des plus précaires, mais ils étaient des bourgeois, des « gens bien », chez ces gens-là on ne divorce pas ! Les domestiques assuraient la gestion de la maison et élevaient les enfants de leur mieux. Puis survint une grande déchirure : le départ de la famille pour une ville du nord de la France. Quitter ses racines, ses habitudes, le soleil, en plein hiver pour un environnement plus froid est déjà une rude épreuve pour une petite fille ; plus de domestiques à demeure, les enfants avaient grandi, aucun bras pour se réfugier ou pour exprimer sa détresse. Sa mère qui ne la voyait pas, son père toujours ailleurs, ses frères déjà autonomes qui quittent la maison. Annie se sent « de trop », elle gêne, elle est souvent seule de longues heures à la maison, les parents sont absents dix à douze heures, elle les attend dans son petit bureau ; les sorties scolaires ou d'aumônerie sont interdites par crainte de diffusion d'idées « communistes ou de curés ».

Dans cet univers « peau de chagrin », les résultats scolaires ne sont pas fameux. En grandissant Annie se pose des questions : pourquoi vit-elle ? Personne ne l'aime ; une certitude s'ancre en elle, elle est le fruit d'un accident. Elle commence à être de plus en plus souvent malade : petits troubles, petits malaises... La maladie finit par s'installer, Annie connaît la lutte pour la vie mais, vivre ou mourir, quelle importance ?

Lorsqu'elle nous a rencontrés, elle a connu aussi le groupe d'accompagnement. Elle prit enfin conscience qu'il pouvait exister une autre vie, d'autres gens, que l'amitié n'était pas un rêve inaccessible. Il a fallu des années pour apaiser les révoltes, guérir la détresse et la maladie qui malheureusement avait brisé ses études et sa vie.

Annie ne comprend toujours pas très bien l'amour, sa mère lui a inculqué la notion d'un « amour sale » ; une fille et un garçon qui s'embrassent... c'est un acte dégoûtant ! Les cloches carillonnant pour un mariage : quelle horreur ! Comme ils vont être malheureux ! Aimer est honteux.

À quinze ans, une tentative de suicide faillit l'emmener loin d'eux, bien loin de cette horrible réalité. La réaction parentale fut édifiante :

« Comment as-tu pu nous faire ça à nous ? Surtout que personne ne le sache ! » Mais pas une seule fois : pourquoi ? Pourquoi as-tu voulu mourir ?

Annie s'est retrouvée encore plus seule. Son état de santé heureusement nécessita un séjour en montagne, d'où notre rencontre. Annie n'est pas guérie, son corps a beaucoup souffert, elle n'est pas mariée et n'a aucune situation, mais aujourd'hui elle a trouvé la foi, et peut-être l'espérance en l'Homme.

Les parents seraient bien étonnés si elle leur disait : « C'est votre travail, vous êtes responsables !... »

« Mais voyons, quelle ingratitude ! Nous t'avons tout donné, tu nous as créé tant de problèmes ! Quelle honte ! »

Bien souvent l'essentiel est invisible à nos yeux, les parents, en toute bonne foi, passent à côté des problèmes de leurs enfants ; trop occupés par leur quotidien, ils s'imaginent que leur réussite matérielle ou sociale sera aussi celle de leurs enfants. Nous avons trop tendance à penser que nos enfants sont à notre image, c'est une erreur.

Je ne peux, hélas, parler de tous mes enfants ; je mentionne simplement le cas de ceux qui spirituellement, socialement, peuvent être un exemple de vie le plus concret possible par leurs actes. Mais tous sont très près des valeurs essentielles qui sont les nôtres ; il serait fastidieux d'énumérer tous nos enfants. Cependant pour clore ce chapitre, je dois parler de Françoise, de la continuité de l'œuvre, du soin que notre ange de Lumière a pris pour que tout puisse continuer quand nous devrons partir. Lorsque j'ai dû quitter mon activité de guérisseuse des âmes, Etty a demandé à ma fille Françoise de prendre ma succession. Les choses n'ont pas été faciles, pourtant Françoise était « programmée » depuis sa naissance, peut-être bien avant ; elle est la maman de Karo, qui prendra son tour, Karo maman de Jérémie.

Dieu dans Son infinie bonté a prévu « la suite », tout doit s'accomplir maintenant et après, dans cette vie ou dans une autre, car le temps n'existe pas. Un destin peut être prévu dans les grandes lignes, mais le libre arbitre de l'homme lui permet ou non de l'accomplir.

Françoise a repris mon cabinet de magnétisme spirituel depuis bientôt dix ans. Les débuts de cette « passation » n'ont pas été faciles ; il est lourd pour un enfant de prendre la succession d'une mère pas tout à fait inconnue. Le don de guérison, Françoise, comme moi, l'a reçu à sa naissance ; il a fallu bien des années, bien des épreuves pour qu'elle l'accepte. Elle a grandi au milieu de la famille sans problème ; d'un naturel joyeux, elle nous a beaucoup fait rire. Très jeune, elle a rencontré Pierre, l'unique amour de sa vie ; mariée à dix-neuf ans, maman à vingt ans, elle a croqué son bonheur rapidement. Pierre, hélas, était malade, quelques années après la naissance de leur deuxième enfant, il est mort brusquement terrassé par une crise cardiaque en descendant d'un hélicoptère. La mort du papa a été un choc pour les petits, la fin d'une étape pour leur maman.

Il faut avoir connu la souffrance pour comprendre celle de l'autre. L'épreuve acceptée peut faire grandir spirituellement un être humain.

Quelque temps après cet épisode douloureux, mon ange de Lumière m'a demandé de quitter mon cabinet de soins ; j'arrivais à soixante ans, il fallait céder la place. À cet âge-là, la guérison spirituelle peut devenir un piège pour celui qui la pratique ; il peut y avoir des transferts énergétiques entre le soignant et le soigné.

Je devais servir dans un autre domaine : témoigner des expériences vécues. Je n'ai jamais mis en cause une décision du Ciel, j'ai, comme toujours, obéi. Mais qui allait me remplacer ? Etty a tranché, elle a demandé à Françoise d'accepter de prendre la suite. Mais malgré l'enfance, l'adolescence passée au milieu de gens en difficulté, malgré les expériences spirituelles nombreuses, malgré les réunions de travail auxquelles elle participait, elle ne pouvait pas devenir guérisseuse des corps et des âmes sans préparation.

Il a fallu un certain parcours fait d'écoute, de travail, de prières. Françoise a fait des études de conseillère de santé, elle a reçu de nombreuses leçons des médecins du Ciel, elle a commencé à exercer son métier dans mon cabinet en m'assistant.

L'enseignement donné par le Ciel a été le même que le mien, dans le respect de la médecine, de la liberté de conscience. Tout comme moi, elle a bénéficié de l'aide des médecins de la Terre et du Ciel. De la terre, avec de jeunes médecins de son âge, qui suivent les patients qui viennent à Grenoble, de loin parfois, pour la rencontrer. Il n'est pas question de traitement spirituel sans suivi médicalisé ; la guérison est un consensus, le corps physique malade a besoin d'une thérapie médicale, le corps spirituel d'une onde de guérison.

Qu'est-ce qu'une onde de guérison ? C'est une énergie venue d'ailleurs comme un soleil bienfaisant, qui, transmise par un bon guérisseur, peut réchauffer, soulager et guérir. Le guérisseur spirituel n'est qu'un canal, encore faut-il que ce canal soit un parfait conducteur, en bon état de service, jamais obstrué par la boue...

Françoise a donc repris mon cabinet. Etty a mis au point un système de soins et d'aide aux souffrants ; cette prise en charge peut être également l'approche d'un nouvel état d'esprit : comment lutter, accepter, offrir sa maladie, quelle qu'en soit l'issue ?

Lorsque Etty m'a dit que Françoise était un instrument parfait, qu'elle pouvait passer des énergies spirituelles directement par ses mains, j'ai été comblée. La succession est assurée. Très fréquemment, les médecins du Ciel qui entourent Françoise acceptent de discuter avec elle de tel ou tel cas, donnant de précieux avis sur les problèmes de ceux qui viennent à elle. Mais comme il me l'avait été demandé à moi-même lorsque j'étais guérisseuse,

Françoise doit garder le silence pour respecter le libre arbitre des malades ; elle ne peut que donner de judicieux conseils sans en dévoiler la source.

Lorsque les vivants du Ciel viennent aider les vivants de la terre, c'est toujours avec beaucoup de pudeur et une grande sagesse ; l'immense compassion pour les pauvres humains que nous sommes n'a d'égal que leur amour sans limites.

Depuis quelques années, une médiumnité à incorporation directe, comme celle de Daniel, se manifeste chez un de nos enfants. Quelle surprise, mais quelle difficulté pour accepter cette merveilleuse et terrible charge ! Les débuts ont été mal vécus, Mady a tout essayé pour échapper à cette obligation spirituelle qui la perturbait et qu'elle refusait. Elle savait qu'un médium n'est qu'un instrument, une éolienne dans le vent ; sa moralité, son honnêteté doivent être rigoureuses. Il a besoin d'un climat d'amour, de confiance autour de lui. Mady savait également que ce don divin, sacré, ne pouvait s'exercer que bénévolement, sans jamais en retirer gloire ou profit. Le temps aidant, l'âge, la connaissance des lois divines lui font prendre conscience de l'importance de cette mission : Daniel n'est pas éternel sur terre, il faut donc, si l'œuvre doit continuer, prévoir son remplacement comme le mien a été prévu avec Françoise. Mady avec beaucoup d'humilité, dans le silence, dans le don d'elle-même, a fini par accepter.

À partir de ce moment, tout est très bien allé pour elle... et pour nous !

La sagesse nous dit que personne n'est indispensable ; lorsque nous partons de l'autre côté du miroir, la terre continue de tourner, le soleil de briller. Avec bonheur, je constate que Dieu a prévu la continuité : les pions nécessaires sont en place. Nous pouvons donc, Daniel et moi, préparer notre départ en toute quiétude, ce qui n'empêche pas de rire, de plaisanter avec notre entourage.

Par exemple, mon amie Malou qui se considère comme ma jumelle — quarante ans de complicité, d'amitié nous unissant — m'a déclaré l'autre jour qu'elle avait décidé de ne plus mourir : « Je suis très bien là où je suis, j'y suis j'y reste ! » Cette décision va poser problème, nous avions choisi de nous attendre pour faire ce voyage ensemble ! Malou aime plaisanter, Mady aussi ; je crois que la foi donne la joie. Nous avons toujours été très gais dans la famille. Mady va faire partie de la jeune équipe autour de Karo. Celle-ci est directement liée à notre aventure spirituelle du début, telle que je l'ai racontée dans *Médecins du Ciel, médecins de la Terre,* et au premier contact que j'ai eu avec le Ciel, le choc physique de cette aventure inattendue, les dix ans d'enseignement qui ont suivi.

Cet enseignement nous a été donné par un ange de Lumière, que j'ai nommé Mamy. Au bout de ces années de silence, de prières, Mamy m'a annoncé la fin de notre étroite collaboration et mon chagrin a été immense. Mais j'ai retrouvé Mamy dans une splendide petite fille que le Ciel nous a envoyée : Karo, qui nous a apporté beaucoup de joie. De nombreux phénomènes spirituels se sont produits autour d'elle pendant les premières années de sa vie. Karo aujourd'hui est mariée, maman de deux beaux enfants, son mari très croyant seconde bien son épouse, il est aussi un « papa poule ». Malgré son âge, elle n'a pas vingt-cinq ans, Karo termine ses études de psychothérapeute.

Elle sait qui elle est, d'où elle vient, où elle doit aller, c'est une preuve vivante pour nous, que l'évolution peut se faire aussi bien dans l'au-delà que sur notre terre, elle est aussi la preuve de l'immortalité de l'âme. Avec elle, j'ai vraiment compris l'instinct de l'homme pour un ailleurs, une survie qu'il porte gravée en lui.

Karo fonce : « Mamie, je n'ai pas de temps à perdre », dit-elle ; elle accomplit avec amour sa vie d'épouse et de mère, avec courage ses études, comme s'il fallait se libérer de certains devoirs pour se consacrer à d'autres, par exemple, s'occuper des groupes d'accompagnement qui essaiment comme des abeilles.

Je sais, Karo, que ta vie ne sera pas simple, la spiritualité n'est pas toujours la facilité ; mais je sais que tu reprendras le flambeau, ce flambeau que nous avons allumé, Daniel et moi. Tu le porteras bien haut pour que sa lumière illumine autour de lui la tristesse de notre monde. Pour t'aider, tu auras tes grands-parents qui, même au Ciel, veilleront sur toi. Tu auras aussi près de toi un ange blond, qui sera à son tour... la suite ; mais cela est une autre histoire, comme un conte de fées, un rêve. L'histoire d'un petit enfant qui n'appartient qu'à lui et que je ne peux dévoiler.

Il faut que les choses s'accomplissent en leur temps. Tous ces enfants nous ont obligés à comprendre l'importance de la famille, l'importance du « nid », du sens de la fraternité qui se développe dans le partage et la tendresse. La couvée, au plein sens du terme, est nécessaire à l'oisillon ; un jour il prend son envol. Il arrive que notre enfant s'envole lui aussi pour d'autres cieux, vers des horizons que nous ne connaissons pas ; il arrive aussi parfois qu'une rupture due à l'incompréhension survienne, mais le bébé est devenu grand. L'important pour les parents est de voir son bonheur, sa réussite, même s'ils en sont totalement exclus. Il arrive également que votre enfant en se mariant, par exemple, entre dans une autre famille, un autre milieu qui lui convienne mieux, vous vous sentez alors un peu « rejetés », devenus inutiles à leur évolution, à leur vie. C'est un peu douloureux, il faut pouvoir et savoir l'accepter, pour son bonheur et notre sérénité.

Chez nous, notre grande maison s'est vidée en quelques années, nous avons marié trois enfants la même année, je m'étais bien juré de ne pas « craquer » ; c'était dans l'ordre des choses et pourtant, en faisant les valises au troisième départ, je me suis surprise en repassant un pantalon de voir de l'eau ruisseler sur le vêtement. Mais d'où venait-elle puisque j'étais heureuse ? Je chantais, les préparatifs de la fête se passaient bien, tout allait bien, j'avais oublié mes yeux, mes yeux ne suivaient pas ! Une rivière intarissable s'écoulait, étaient-ils stupides ces pauvres yeux de se vider de leurs larmes !

Heureusement certaines autres fêtes continuent à réunir régulièrement la famille, comme, par exemple, la Fête des Mères ou la fête de Noël.

« FENDS LE CŒUR DE L'HOMME, TU TROUVERAS TOUJOURS UN SOLEIL ! »

Les enfants sont des dieux qui peuvent devenir démons.

La rose est belle, elle embaume. Si tu ne l'arroses pas, il ne reste qu'épine sur tige sèche.

Il est des grands jours, dans les familles nombreuses ; par exemple, la Fête des Mamans. Je regarde ce jour-là tous les enfants, petits-enfants, arrière-petits-enfants installés sur la terrasse. Mais c'est une minisociété !

Les fleurs embaument. La joie rayonne, le bonheur circule en ondes chaudes. Théo, le plus petit, vient de naître, c'est un amour, tout souriant, tout chaud, comme un petit oiseau. Son frère Jérémie, blond aux yeux bleus, beau comme un astre, déjà si volontaire, toujours à l'affût d'une sottise, boire un verre qui traîne, par exemple, appuyer sur tous les boutons de la télévision. Regarder bien en face, dans les yeux, maman, avec un si beau sourire, pour obtenir l'objet convoité. Un brun, un blond.

De beaux enfants, tous. Des adolescents au regard direct, des parents sereins malgré les soucis de la vie. Une boule monte dans ma gorge. Merci, mon Dieu !

Je regarde Daniel, comme moi il respire le bonheur du moment, bonheur de la famille unie, vrai bonheur de la terre. Nos enfants, notre vie, notre parcours. Qu'importe que certains aient la peau brune... l'autre les yeux bridés. Nous les aimons tous !

Chez nous, chaque réunion se termine par une prière, c'est l'habitude ; les enfants le savent. Naturellement, avant de nous séparer, cette petite tribu se donne la main pour prier dans la joie. Il faut penser aux autres, aux petits enfants de la guerre, enfants de Bosnie, enfants africains, petits martyrs de la folie des hommes.

Chacun se prépare à ce moment de sagesse qu'est une prière. Lorsque Daniel se dédouble brusquement, dans le silence l'émotion nous étreint, petits et grands. Lorsque nous entendons Etty, notre ange, dire d'une voix claire : « Bonsoir à tous. »

Souvenez-vous toujours de ce moment privilégié ; quels que soient les divergences, les désaccords dans votre vie, soyez unis toujours. N'oubliez jamais. Aimez-vous les uns les autres.

Si la Fête des Mères est l'occasion de nous rencontrer tous, Noël est un moment inoubliable ; au-delà de la joie des retrouvailles, des cadeaux, les enfants partagent le miracle de la naissance.

Chaque homme, chaque femme, garde en lui la nostalgie de ses Noëls d'enfant. Noël est la trêve, l'instant où les armes devraient se taire, l'instant où des étoiles d'or devraient descendre du ciel dans les yeux des enfants, de tous les enfants du monde.

Qu'avons-nous fait de Noël ? Parfois un immense commerce, une grande bouffe ! Pourtant cette nuit magique devrait garder un caractère sacré, même si nous ne sommes pas chrétiens. Il faut bien une plage de souvenirs, de joie et de mystère.

Pour nos petits, Noël à la campagne se prépare avant la fête : chacun va chercher de la mousse, de la paille, du houx. La confection de la crèche est un grand moment, nous avons parfois un problème : deux petits avaient apporté chacun un enfant Jésus. Quel dilemme ! Ils ont très bien tranché, cette année-là, Jésus a eu un jumeau ! Tout le monde était content.

Le Père Noël, les cadeaux, ce sont de grands moments, bien sûr, mais la famille réunie, la prière ou la messe selon la foi de chacun, doit aussi faire partie des moments heureux. Les lumières, les bougies, la grande table, la famille réunie, sont aussi importants que la dinde ou la bûche. Nous avons appris à nos enfants la magie de Noël, qu'ils transmettent à leur tour à leurs enfants.

Toutes les nuits de Noël se sont toujours terminées, depuis des années et des années, par la prière pour les enfants de la guerre, les enfants qui ont faim, les enfants qui n'ont rien. C'est l'occasion d'une prise de conscience nécessaire chez nos petits trop gâtés.

Les enfants grandissent, ils n'oublient pas ces moments de tendresse, de joie, de prières. Si un jour leur vie les appelle à être face à la détresse d'un enfant, ils se souviendront...

Pendant des siècles, la famille a été le cocon protecteur de l'enfant, c'est une loi naturelle qui existe aussi chez les animaux pour la protection de l'espèce. L'enfant devenu adulte reproduit souvent inconsciemment dans sa vie d'homme ce qu'il a reçu de ses parents, l'image de son milieu, de son enfance, d'où l'importance de l'exemple.

La fleur bien traitée, imbibée d'eau et de soleil devient resplendissante ; le gamin nourri d'amour le porte en lui toute son existence. Le respect des autres, de la famille, des aînés, de l'être tel qu'il est, le respect de la vie qu'elle soit humaine, animale ou végétale, est la base de toute éducation.

Mes parents m'ont surprise, je devais avoir quatre ou cinq ans, en train d'arracher les pattes d'une mouche ; sans me gronder ils ont pris le temps de m'expliquer que l'insecte souffrait. Depuis je n'ai plus jamais pu faire de mal à un animal. La leçon est restée gravée pour toujours ; l'éducation passe par l'exemple du langage, du partage dans la vie quotidienne. Apprenez la prière à vos enfants, sa force, sa puissance sont un des plus beaux cadeaux que vous puissiez leur offrir. Profitez des moments opportuns pour les responsabiliser ; la petite enfance est encore reliée au Ciel, il y a peu de temps qu'elle a quitté la « Planète bleue », le monde divin, son âme est imprégnée de la notion d'éternité et de continuité, que ressent l'homme confusément à certains moments ; observez bien vos tout-petits : ils jouent parfois avec des copains invisibles dans un monde imaginaire. Il est possible que ces « copains » soient très réels pour eux, que ce soient de petits anges venus les accompagner sur cette planète Terre qui, hélas, n'est pas un paradis. Il faut donc entretenir ce souvenir, cette réalité d'un autre monde d'où ils viennent et où nous irons, c'est plus facile quand des fils tissés d'or existent encore entre ces deux mondes. Grâce à eux notre foi se nourrit, c'est une évidence, un homme peut tout perdre dans sa vie : ses biens, sa famille, sa santé, sa liberté, jamais personne ne pourra lui voler sa foi s'il est croyant ; elle lui permettra de mieux traverser l'épreuve, sans de trop grandes brisures de l'âme. La foi est une coupole ouverte vers « ailleurs », c'est un canal qui permet aux médecins du Ciel d'intervenir rapidement en cas d'urgence.

La foi s'alimente de prières et d'amour, elle nous rend meilleurs et plus tolérants ; la prière traverse les barreaux d'une prison et apaise l'angoisse, c'est une guérisseuse des âmes et des corps pour celui qui s'en remet à Dieu.

Nous voudrions tous assurer l'avenir de nos descendants, si nous sommes des êtres normaux nous voudrions leur éviter les pièges de la vie. Comment leur donner davantage d'atouts pour mieux vivre qu'en les structurant spirituellement ? Il n'est pas de meilleure technique que de leur apprendre les richesses de l'amour, du pardon et de la joie donnés par leur famille autour d'eux. Ils doivent être forts pour résister aux agressions de notre société : racisme, chômage, drogue ; les sectes et leurs fausses valeurs. L'intolérance commence dans nos propos, par des réflexions idiotes du genre : « Bien sûr, ce vêtement m'a coûté cher, c'est un juif qui me l'a vendu, on sait bien comme " ils " sont radins ! » Ou alors, si un jeune Arabe a été tué dans une bagarre : « Un de moins, qui ne prendra pas le travail d'un de chez nous ! » Imaginez la répercussion de telles sottises sur les enfants qui écoutent...

La tolérance est fondée sur le respect de celui qui est différent de nous ; si sa religion et sa couleur de peau ne sont pas les mêmes...

Son sang est rouge comme le nôtre.

Son cœur bat comme le nôtre.

Son âme est éternelle comme la nôtre.

Sa vérité vaut la nôtre.

Pourquoi vouloir imposer sa vérité à l'autre ? Ma

vérité est ma vérité, elle n'est peut-être pas celle de mon voisin. Au nom de Dieu, qui selon moi est le même pour tous les hommes, on tue ou on torture avec bonne conscience. L'intolérance c'est le jugement sans appel de quelque chose que l'on ne comprend pas et que l'on ne connaît pas.

Le mouvement prétendu « charismatique » est parti en guerre contre les groupes d'accompagnement « Maguy Lebrun » en écrivant des horreurs sur ce qui se vivait dans nos réunions de travail sans jamais y avoir mis les pieds ! Le Christ leur appartient, eux seuls guérissent en son nom ; heureusement pour nous ils ne peuvent pas rallumer les bûchers ! Derrière ces mouvements, ces condamnations qui divisent les croyants au lieu de les unir, se cachent souvent une soif de pouvoir, une soif de régner ou une soif d'argent.

L'intolérance entre parents et enfants est plus fréquente qu'on ne le pense. Un enfant battu connaît la haine et la peur. Un enfant humilié se vengera un jour. Le plus grave, c'est que l'intolérance conduit au racisme ; le mal des banlieues, dont certaines sont de véritables ghettos, a pour origine, au-delà du chômage et de la misère, la peur et la non-compréhension des uns et des autres ; je suis totalement apolitique, mais il me semble qu'il faudrait ouvrir le dialogue, aider les adolescents désœuvrés, leur installer des terrains de sport, etc. C'est ce que certains tentent de faire, mais ils rencontrent d'énormes difficultés.

Les enfants ne sont pas du tout racistes, il n'y a pas de conflits dans les écoles primaires.

J'adore cette histoire :

James fête ses huit ans. Il habite une ville à forte population africaine :

« Dis, maman, je peux inviter mon copain d'école ?

— Bien sûr, mais ton copain il est blanc ou noir ? demande maman.

— Si tu crois que j'ai regardé... c'est mon copain ! »

Adorable candeur et innocence des enfants. Ce sont nous, les adultes, par nos réflexions, notre attitude, qui rendons nos enfants racistes. Mes enfants ont des amis de toutes les couleurs de peau.

Les problèmes des adolescents ne sont pas les mêmes que ceux de ma génération, mais avec un peu de courage et de bonne volonté, on peut sortir d'une situation difficile, l'histoire de Yasmina en est la preuve.

J'ai rencontré Yasmina un jour de printemps, au cours d'un repas ; j'ai été attirée par cette jeune femme intelligente ; elle possède par son physique mais surtout par l'éclat de son regard ce « petit quelque chose » d'indéfinissable, que l'on appelle parfois « la même longueur d'onde ».

Au fil du temps nous nous sommes revues, une amitié forte est née entre nous.

Yasmina est née en France dans une famille algérienne, installée depuis plus de quarante ans dans le Nord, donc bien avant la guerre d'Algérie.

Une famille nombreuse, neuf filles, un garçon, une vraie smala, avec la solidarité, les fous rires, les sottises qui permettaient de supporter les moments difficiles.

Le désir de vivre devait être très fort, car Yasmina a été très longtemps gravement malade dans son enfance. L'amour, les soins constants de sa mère, pense-t-elle, l'ont sauvée.

Elle a beaucoup souffert du manque de nourriture ; son père buvait à l'époque ; quand il rentrait il était souvent violent ; ses fiches de paie étaient aussi maigres que ses enfants. Yasmina se souvient d'être allée voler des pommes, quand c'était la saison, dans les jardins voisins... Mais la saison des pommes ne dure qu'un temps !

Le manque de sécurité, le père qui cognait et mettait les enfants dehors par n'importe quel temps quand il retrouvait le chemin de la maison, les terrorisaient.

Mais ils formaient une équipe solide, solidaire, ils avaient appris à se bagarrer, à jouer au foot.

Un jour, la découverte d'un local vide leur permit d'avoir un refuge secret, qui leur servit pendant des années de cachette !

Le manque de confort, les paillasses sur le sol, les rats la nuit, étaient insupportables. Quand le premier lit est arrivé, elles ont dormi à cinq dedans ! La table de la cuisine a été le premier luxe.

Le manque d'intimité, toujours les sœurs, le petit frère dans les jambes, même au moment des devoirs d'école, l'exaspérait ! Ce petit frère Akim énervait beaucoup ses sœurs. Le seul garçon ! Le chouchou des parents, toujours servi le premier à table, on ne lui refusait rien !

Un jour où il avait reçu un bateau en cadeau d'anniversaire, Yasmina dut l'emmener au bord d'un bassin ; de colère, elle l'a poussé dans l'eau avec son bateau !

Pour ses quatre petites sœurs, les petites dernières, Yasmina était la petite maman. Les distractions étaient rares, les vacances scolaires longues. Plus tard le mois de juillet était attendu avec grande impatience, avec lui arrivait le temps de la colonie de vacances !

Yasmina se souvient avec émotion du premier cacao, accompagné de tartines, garnies de beurre, de confiture à volonté ! Ce qu'on mangeait bien en colonie !

À la maison, ça allait à peu près bien en début de mois, mais ensuite, la galère ! La faim !

Une année, toutes les filles de la famille attrapèrent la gale, pour Yasmina, l'horreur ! Le petit frère leur suggéra de mettre « de la bombe bronzante », mais les boutons bronzés étaient aussi contagieux que les autres !

À treize ans, Yasmina est une « grande fille ». Il n'est plus question de sortir de la maison, même pas pour surveiller les petites sœurs !

À seize ans, elle affirme à maman que si elle devient monitrice dans une colonie, elle rapportera un peu d'argent à la maison.

Le désir de s'en sortir est très fort, malgré les grossesses successives et de plus en plus difficiles de sa mère, les petits à assumer, le manque de place, l'agitation permanente. Yasmina travaille ; les devoirs, les leçons, les lectures, passent avant tout.

Le père va mieux ; immense chance, il est très intégré à la vie en France, et malgré tout adore ses filles. Il leur permet d'aller chez la voisine, une femme seule, qui se prend d'affection pour cette tribu, et leur apprend l'hygiène : se laver les dents... mettre un pyjama la nuit, etc.

Cette charmante dame manie aussi très bien le martinet, en cas de besoin, mais elle leur apprend l'importance de l'école, les aide à travailler, ne fait aucun cadeau à Yasmina. Le martinet entre en action dès que les notes baissent !

Un jour de fête foraine, où il y avait des devoirs

à finir, la gentille voisine leur interdit de sortir, la peur peut-être aussi... de mauvaises rencontres.

Mais l'appel de la musique, des lumières, est plus fort que la crainte. Le soir Yasmina se sauve, entraîne son frère vers les autos tamponneuses, sans un sou, bien sûr ! Mais en criant au forain : « M'sieu, m'sieu, s'il vous plaît, faites-nous faire un tour ! » Ils se sont retrouvés émerveillés dans une voiture, au paradis... quoi !

Quand tout à coup que voient-ils ? Leur nounou, le martinet à la main, qui avait bien deviné où ils étaient !

Leur père les encourageait à travailler, à étudier, il y tenait énormément, était fier des résultats scolaires. « Apprenez à l'école, disait-il, ne faites pas comme moi ! » Dès qu'il le put, il les inscrivit dans une école privée très stricte, où ils ont appris aussi l'Ave Maria. Il s'en moquait !

Un soir, brusquement, il est rentré à nouveau ivre, en disant : « Je pars pour La Mecque. » Il avait gagné une forte somme au tiercé, mais il est parti avec sa seule paie, leur abandonnant cet argent... et les laissant éberlués !

En son absence, c'était calme, leur mère s'en sortait bien, ils mangeaient mieux.

À son retour, plus une goutte d'alcool, plus de cigarette, il était devenu un bon musulman ; il rentrait le soir, normal, au foyer, faisait ses prières, ses ablutions, allait à la mosquée, pratiquait le ramadan. Sa femme le suivait sagement ; il n'obligeait pas ses enfants aux rites religieux, heureusement !

Mais le sevrage brusque de l'alcool le rendait plus violent, le martinet de la voisine n'était rien, à côté des boucles de ceinturon !

Il n'imposait pas non plus « le mariage forcé »

comme le font encore des familles algériennes. Bien au contraire. Un jour, un cousin est venu chez eux, débarquant du bled pour prendre femme... Les filles n'étant ni libres ni consentantes, le père a dit : « Je vais te présenter la meilleure de mes filles !... » Yasmina arrive alors, casque de moto, blouson, jeans, Mobylette... Le cousin est parti en courant... Il doit courir encore... Et le père en rit toujours...

Bien sûr, ce n'était pas toujours tout rose, le père surveillait ses filles, les séquestrait quelque peu, mais grâce à son travail devenu régulier, aux allocations, il y avait plus de confort à la maison.

Yasmina travaillait beaucoup et elle passa son permis de conduire ; fille préférée de son père, elle était un exemple pour les sœurs et le frère. Le premier argent gagné était remis intégralement. Il fallait tout partager, pulls, chaussettes, c'était dur parfois, pour une adolescente, de ne rien avoir à elle, même pas un mètre carré.

Yasmina passa des examens, obtint une bourse, continua à être une gentille fille, mais la révolte grondait. Elle aurait voulu avoir des fournitures scolaires, faire du sport, payer sa licence, etc.

Après un examen, la directrice du lycée l'inscrivit elle-même, pour l'obliger à continuer ses études ; elle en profita pour exiger une petite pièce à elle seule, pour pouvoir étudier dans le calme et écouter un peu de musique.

Au lycée, beaucoup de professeurs l'ont soutenue. Déléguée de classe, elle prend son rôle très au sérieux. Elle a passé son bac, et vite trouvé un emploi ; son père était très fier de sa fille. Mais après l'achat d'une voiture, puis d'un appartement, les choses se sont vite gâtées.

Une fille reste chez ses parents jusqu'à son

mariage et doit donner son salaire. Brutalement, son père l'a reniée ; par soumission, le reste de la famille aussi. Cette cassure a été le prix à payer pour son évolution sociale.

Yasmina a détesté son père, puis le chagrin, les larmes sont arrivés ; elle était très malheureuse, et continuait dans la mesure du possible de voir les petits, sans tenir compte de l'hostilité puis de l'indifférence de ses parents. Paradoxalement, c'est sa grand-mère qui l'a aidée, comprise, qui lui a donné le courage de tenir et de réussir.

Yasmina prit alors conscience de ce qu'avait été la vie de cette grand-mère soumise, qui avait tout supporté.

Aujourd'hui, à force de courage, de travail, de ténacité, elle est adjointe de direction dans la maison où elle était entrée petite employée ; elle essaie d'embaucher des émigrés dans son entreprise : des Turcs, des Arabes, des Portugais, etc. Elle leur donne une chance. Certains d'entre eux sont heureux de la saisir, d'autres partent en claquant la porte.

Yasmina est fière à juste titre de son intégration sociale ; elle m'a permis de raconter son histoire mais je vais maintenant lui donner la parole car elle voudrait être entendue par beaucoup de jeunes :

« Je veux surtout dire aux " beurs et beurettes " que l'on peut s'en sortir. Nous n'avons pas tous la même chance, nos familles sont plus nombreuses, plus pauvres, que la plupart des familles françaises. Nos parents, après avoir fait preuve d'une grande sévérité, finissent par être complètement dépassés. Les plus jeunes sont souvent livrés à eux-mêmes. Il est bien plus facile de profiter des mauvaises occasions, d'écouter de vilains conseils que de bosser. Il est plus facile de se révolter, de s'imaginer que l'on a droit au confort, aux richesses des autres...

« C'est facile de tout casser, mais je vous assure que si nous regardons le monde sans défiance, si nous acceptons l'aide qui se présente forcément un jour ou l'autre, avec de la volonté, du courage, on peut s'en sortir.

« Nous avons des droits, bien sûr, mais aussi des devoirs ; par exemple, devoirs civiques, payer des impôts (je suis la seule de la famille à le faire, ce n'est pas drôle). Pas drôle non plus d'être une génération coincée entre nos parents, souvent inadaptés, et une société déboussolée, le chômage, le racisme parfois, la pauvreté, la violence des banlieues qui ne résout rien.

« Un nouveau problème depuis quelques mois : l'intégrisme. Ma famille, croyante, ne se sent pas attirée par cette forme de l'Islam ; mon père dit : " Ce sont les barbus qui ont tout mélangé ! " Ce qui signifie, pour lui, que des fanatiques ont confondu la religion, notre belle religion musulmane et la haine pour ceux qui ne la pratiquent pas.

« Moi, j'ai peur qu'en France des gens qui ne sont pas racistes confondent à leur tour les vrais musulmans pratiquants, tolérants, et l'Islam déformé des excités qui n'aiment pas leur religion, la bafouent, l'adaptent à leur soif de pouvoir.

« Mes parents m'ont toujours enseigné l'amour envers les autres, mêmes s'ils sont totalement différents ; je les en remercie.

« Personnellement, je crois en un Dieu universel qui aime les hommes de toutes races, je ne vais ni à la mosquée ni à l'église, mais je prie tous les jours, pour que les hommes ne succombent ni à la violence ni à la haine.

« Je remercie le Ciel d'avoir mis un jour Maguy sur mon chemin. Elle m'a appris à pardonner, sans condition. À voir ma famille avec un autre regard, à concrétiser l'amour que j'avais pour eux. J'ai appris à m'accepter comme je suis et... c'est très difficile.

« Je m'occupe actuellement d'un groupe d'accompagnement, j'en suis responsable. J'espère en être digne toute ma vie.

« Il faut que les jeunes Arabes croient en leur avenir, ne se laissent pas piéger par l'intégrisme.

« Pour eux je termine avec un proverbe bien à nous :

« FENDS LE CŒUR DE L'HOMME, TU TROUVERAS TOUJOURS UN SOLEIL ! »

Le dalaï-lama ne dit d'ailleurs pas autre chose...

Pour terminer cet exemple réconfortant, gardons le sourire avec Bérénice (cinq ans) qui participe à un concours de gymnastique en compagnie de sa petite amie Lise, même âge. Lise a un papa africain très grand, elle a une tête de plus que Bérénice. Lise gagne la coupe, et Bérénice la médaille : « Qu'est-ce qui est le mieux ? » demande-t-elle le soir à sa maman. « La coupe est mieux, répond sa maman, mais Lise est plus grande que toi, tu as eu la médaille, vu ta taille c'est très bien ! » Bérénice furieuse part en claquant la porte : « Je savais bien que tu préférais les Noirs ! »

Devant ces phénomènes d'époque, nous prions, souvent très peinés que l'homme ne soit pas plus raisonnable. Nous sommes certains, Daniel et moi, que beaucoup de souffrances pourraient être évitées avec un peu plus de sagesse.

Nous n'arrivons pas à comprendre pourquoi une

sorte de racisme s'est installée entre de jeunes Arabes et d'autres jeunes du même âge. Est-ce parce que les yeux sont un peu plus noirs, les cheveux un peu plus frisés chez les uns que chez les autres ?

L'exemple des actes de tolérance et de fraternité des parents, bien sûr, se répercute sur les enfants qui entendent les conversations et qui enregistrent les commentaires. L'éducation parentale commence là. Il faut être juste, nous ne pouvons exiger des autres ce que nous ne pouvons donner nous-mêmes ; si nos enfants ne nous respectent pas, comment voulez-vous qu'ils obéissent ?

Amour maternel ne veut pas dire faiblesse ; la petite Fabienne, quinze ans, draguait tous les garçons rencontrés sur sa route ; fille unique d'une veuve qui lui passait tous ses caprices par faiblesse, il est arrivé un moment où elle a eu envie de conduire une voiture. Vu son âge, il était impossible de le lui accorder. Qu'a-t-elle fait ? Une nuit, elle a volé une voiture, l'a jetée contre un mur et s'est fait « cueillir » par les gendarmes. Que faire ? La mère, désespérée, nous a demandé de la prendre quelques jours chez nous et d'étudier son comportement.

Le premier soir, notre petite pensionnaire a assisté à un feu de la Saint-Jean où étaient réunis nos enfants et d'autres ; elle a commencé à se dévêtir et à provoquer les garçons de son âge, lorsque, passant par là et voyant son manège, je lui ai administré une bonne paire de claques, sans dire un mot. Après les hurlements et les injures qui ont suivi, Fabienne ramenée de force dans sa chambre s'est calmée, nous avons pu parler. Jamais de sa vie elle n'avait reçu de gifle ; petite, si elle désirait un jouet ou un bonbon, elle hurlait, se roulait par terre, assurée de l'obtenir ; cette enfant très intelligente méprisait profondément cette mère trop faible, qui ne savait pas se faire respecter. Malgré le bref séjour passé avec nous, il était bien trop tard pour rééduquer Fabienne ; elle a « usé » la patience de plusieurs maris, mis au monde trois enfants qui n'ont pas connu la stabilité, mais elle donne de temps en temps des nouvelles ; elle regrette de ne pas nous avoir connus plus jeune, elle regrette peut-être aussi les fessées qu'elle n'a jamais reçues.

Je suis pour la fessée au bon moment, à bon escient, et ça fait parfois tant de bien à celui qui la donne !

Minouche non plus n'a jamais reçu de fessée, ses parents ne s'entendaient plus du tout mais avaient décidé de rester ensemble jusqu'à la majorité de leur fille, pour lui offrir un « foyer ». Le papa, suivi bientôt par la maman, a « compensé » dans des liaisons passagères et multiples ; cette ambiance familiale particulière s'est terminée par la fugue de Minouche à seize ans, avec un garçon rencontré dans la rue.

Minouche était une enfant gâtée matériellement, elle avait de l'argent autant qu'elle en voulait, elle partit avec et même avec un peu « plus », en vidant la maison de tout ce qu'elle pouvait emporter. Le temps de mettre au monde une petite fille, dans des conditions plus que difficiles, Minouche se retrouve seule, malade, traumatisée, mais préfère faire appel aux services sociaux plutôt que de revenir chez ses parents.

Tous les enfants ont besoin de calme ; l'image d'un couple uni est le plus bel exemple à leur offrir, si possible... ! Sinon, il vaut certainement mieux une séparation honnête et propre, qu'un modèle de vie mensonger et factice.

La petite histoire de Romain illustre bien ce qu'un enfant peut accepter, si la situation n'est pas dramatisée. Romain, sept ans, arrive de l'école et demande à ses parents s'ils vont bientôt divorcer. Stupeur de ceux-ci :

« Pourquoi nous demandes-tu cela ? Tu sais bien, Romain, que papa et maman ne se sépareront jamais.

— Oh, dit-il, pas de pot ! Mon copain David, ses parents sont remariés, il a deux papas, deux mamans, deux cadeaux à Noël, deux à son anniversaire. C'est super ! »

La logique enfantine surprend parfois. Nous avons essayé de donner à tous nos enfants une maison chaude et joyeuse, aucun d'eux n'a posé la question de Romain, mais nous n'étions ni superprotecteurs ni trop faibles. C'est peut-être plus facile dans une famille nombreuse ; il faut faire attention à la conduite de tous, nos moyens financiers réglaient la question du superflu, le partage obligatoire pour tous limitait les désirs, mais il y avait tant de compensations : la vaisselle en chantant, les fous rires, les confidences le soir, les jeux, l'attrait du nouvel arrivant avec ses histoires, les spectacles que nous organisions pour boucler les fins de mois trop difficiles. Il fallait chanter, danser, répéter, confectionner des costumes, personne n'avait le temps d'aller voir ailleurs, tout ce qui se passait à la maison était si intéressant !

Il arrivait souvent un enfant malade, des parents désespérés, chacun participait à sa façon à la chaîne de prière, tous les soirs à 20 h 30. Ce n'était pas obligatoire, mais tous étaient là ; dès l'âge de deux ans, ce moment de silence, donc pour eux de sagesse, était l'occasion d'une prise de conscience ; ils savaient tous qu'à cette heure-là des milliers de gens étaient unis de par le monde, dans une grande chaîne de compassion, de prière, dans le but d'aider d'autres enfants moins heureux qu'eux et qui souffraient.

Dès que les groupes d'accompagnement se sont créés, nos enfants ont voulu participer en restant sages et silencieux, le temps de la réunion ; ils étaient motivés, comprenant très bien, selon leur âge et leurs capacités, l'importance de leur présence pour aider un petit malade, ou celui qui va mourir sous les bombes, victime de la folie des hommes. Non seulement ils comprenaient très bien, mais ils étaient fiers d'être là ; ce partage est une richesse inouïe que vous pouvez leur offrir. Si des parents veulent emmener leurs enfants dans les groupes, il faut absolument qu'ils puissent obtenir d'eux ce moment de silence, de maîtrise de soi, sinon l'enfant doit rester à la maison. Soit il n'est pas assez mûr pour assister à une réunion, soit les parents n'ont aucune autorité ! Ils se préparent des lendemains difficiles, lorsqu'ils devront poser des interdits face à des actes lourds de conséquences. L'enfant doit, très jeune, être responsabilisé, savoir que tout n'est pas permis ; aimez vos enfants, ne cédez jamais à leurs caprices ; ils doivent savoir qu'un enfant pleure de faim, qu'un enfant meurt, qu'un enfant souffre. Ne croyez pas le rendre triste, il comprendra très bien, très vite, qu'il fait partie des favorisés, ce qui lui donnera, avec le sentiment de sécurité, celui du bonheur de vivre. S'il est structuré par votre exemple, s'il est nourri par une foi vivante, il sera armé pour toutes les épreuves de la vie.

J'ai rencontré beaucoup d'enfants malades, ils m'ont enrichie ; leur grandeur, leur courage m'ont souvent bouleversée. J'ai vu mourir beaucoup de ces merveilleux enfants de lumière, je sais qu'un enfant est parfois beaucoup plus grand que ses parents ; l'évolution d'une famille peut basculer grâce à eux, ce sont des anges descendus un temps sur terre pour aider les leurs.

DÉNONCER LE MAL

Bien des phénomènes actuels de nos sociétés peuvent être des pièges mortels pour nos jeunes et il faut avoir le courage d'en parler. Le contexte familial ne leur laisse parfois aucune chance, ou si peu... Les échecs éducatifs dus à la famille sont nombreux, l'alcoolisme des parents est souvent totalement incompréhensible pour les enfants, il est source de démission, de peur, de paroles destructrices, d'échecs scolaires ; malheureusement, le verre est aussi offert à l'enfant qui devient alcoolique à son tour. Que de courage, que de luttes, de jours et de nuits de désespoir pour en sortir ! Aujourd'hui heureusement le malade peut guérir, les thérapies sont bien adaptées, nous savons qu'on peut échapper à l'alcoolisme ; Élisabeth en est sortie, elle a consacré sa vie à aider d'autres malades.

Élisabeth est toute petite, toute mignonne, mais porte en elle les stigmates d'une souffrance qui s'efface petit à petit grâce à sa force intérieure. Fille d'alcoolique, elle a libéré sa trop grande douleur dans un beau livre, *L'Alcool, toi, moi et les autres* *. Il existe peu d'ouvrages relatant l'expérience, les révoltes d'enfant de familles détruites par cette

_____
* Éd. La Tempérance.

maladie qu'est l'alcoolisme ; le désespoir, l'impuissance de la petite fille en face de son père qu'elle aimait, devenu un étranger, un être dangereux pour elle et les siens, est bouleversant.

J'ai été heureuse de préfacer ce livre, qui ouvre une porte sur l'espérance, sur la guérison, sur la fin du cauchemar, pour le malade et sa famille. Fière d'apporter une pierre à l'œuvre, aux projets d'Élisabeth que j'admire.

C'est après la mort de son père, emporté par une cirrhose du foie, qu'elle a décidé d'écrire comme on entreprend une thérapie ; l'alcoolisme du papa avait tant pesé sur l'atmosphère familiale en raison des non-dits, du silence, du désespoir quotidien, que l'écriture complétait les psychothérapies suivies par Élisabeth pour « s'en sortir », mais aussi pour aider les autres, pour ceux qui voient un parent aimé se dégrader en perdant son intelligence, sa sensibilité et toutes ses capacités, pour devenir agressif, violent, et créer un climat d'insécurité terrible. Je pense aussi que l'écriture a été une première étape de réconciliation avec ses parents, comme si une force invisible venue d'ailleurs la poussait, comme si c'étaient eux, son papa malade, sa maman faible et complice, donc coupables à ses yeux d'enfant, qui lui avaient en mourant transmis leurs qualités de cœur, leur sensibilité, leur générosité, leur solidarité, tout ce qu'ils étaient... avant, avant l'horrible déchéance.

Élisabeth m'a dit qu'elle avait l'impression qu'ils l'accompagnaient, l'aidaient, aujourd'hui, dans ses projets d'aide aux malades et de créer un centre spécialisé de soins.

La première partie du livre est un témoignage autobiographique ; elle a voulu faire comprendre ce que vit un enfant confronté à l'alcoolisme d'un parent. Il est en danger car il vit l'horreur au quotidien, dans l'indifférence de tous ceux qui l'entourent, dans un climat de guerre permanent dont personne ne veut se mêler. Le regard des autres, porté sur le père ou la mère qui boit, est terrible ; le jugement teinté de mépris, dû à l'ignorance ou à la bêtise meurtrière de celui qui sait et qui offre un verre, avec un malin plaisir, à celui qui se bat contre la dépendance à l'alcool pour déclencher le cycle infernal de la rechute avec son cortège de misères, est criminel. Mais Élisabeth veut aussi expliquer la souffrance, la tragédie du malade seul, qui lutte pour guérir ; la souffrance « du manque », les angoisses, la peur qu'on peut dépasser ; la guérison est tout à fait accessible à qui la désire ; les soins existent ; « en finir » avec l'alcool est possible.

Les maladies comme le diabète privent le malade de sucre, il faut de la volonté pour suivre un régime, une discipline de vie qui aident à la guérison des patients. L'alcoolique est un malade comme les autres qu'il faut soigner et aider. Élisabeth est convaincue de l'importance des découvertes de thérapeutes et alcoologues, et du caractère révolutionnaire de leur approche de la maladie. Le principe en est simple, il repose sur l'idée que la personne s'est dissociée en deux parties lors d'un traumatisme, tant la douleur était insupportable. Le seul moyen de survivre était de se séparer d'une partie d'elle-même, en quelque sorte « anesthésiée », observatrice de la situation ; tout se passe comme si, avec l'alcool, elle croyait retrouver des ressources perdues : sa gaieté, sa confiance en elle, sa joie de vivre, ou ses capacités de mieux communiquer avec autrui.

Si elle ne se fait pas aider par une thérapie, renoncer à l'alcool signifie pour elle renoncer aux ressources qu'elle a recouvrées. C'est peut-être une des causes de rechute, l'accoutumance oblige à faire une démarche pour s'arrêter de boire ; il est donc vital d'aider le malade à retrouver ses vraies ressources, en se passant d'alcool, pour favoriser sa guérison dans le respect de son identité. Élisabeth pense que l'alcoolique vit avec deux personnalités qui ne se rencontrent pas ! Elle a cette double image de son père : père sobre, aimant, normal, puis père alcoolique, violent, titubant, « pas réel » ; ensuite père « abstinent » mais tellement triste ! Quel était le vrai ?

Dans les stages que suivent les alcooliques, c'est une joie de les voir se transformer au fil des jours, prendre conscience des causes de leur handicap, mais surtout voir la honte disparaître. Chacun retrouve des objectifs de vie, des ressources intérieures, la force de se battre, à laquelle il ne croyait plus.

La situation des malades est aggravée par les états de crise qui font perdre son emploi, son foyer, les poussent à s'endetter, etc. Il faut que des médecins, des psychothérapeutes spécialisés soient de plus en plus nombreux, car la France est très touchée par ce fléau. Élisabeth est en train de créer un centre pour les alcooliques et leur famille, un centre qui propose de « Voir, Accepter, Agir ». C'est une démarche vers plus de conscience, d'acceptation de soi, mais aussi un « chemin de cœur », pour se réconcilier avec la vie, quelles que soient les épreuves du chemin. C'est un principe simple, accessible à tous, à condition de vouloir mettre en harmonie les émotions, les comportements, les croyances et les valeurs de chacun, pour que l'ouverture des esprits permette d'acquérir le sens sacré de la vie et des besoins spirituels. Quelle que soit son histoire, l'homme a le pouvoir et le devoir d'utiliser les fruits de sa propre expérience, pour apporter la joie de la délivrance et le bonheur autour de lui. Avec une prise de conscience et un peu de bonne volonté, bien des obstacles disparaissent, des portes s'ouvrent comme par magie, à la route du chemin intérieur, de la sérénité.

Voici, concrètement, les éléments du projet officiel d'un centre de cure et de postcure qui se crée à Chabreloche, près de Thiers. La « Tempérance * » (c'est son nom) existe déjà, ouverte aux familles d'alcooliques ; ce centre sera complété par une équipe médicale : psychologues, sociologues, en coordination avec l'hôpital de Thiers et des associations d'anciens buveurs (Croix-Bleue, Vie libre, etc.).

La réinsertion sociale se fera avec des éducateurs, des clubs sportifs, culturels et de loisirs.

Élisabeth est croyante, en Dieu, en l'homme, dans les forces de la nature. De sa triste enfance, elle a tiré une leçon de courage, une force, une foi en la vie ; son rayonnement spirituel est contagieux, elle est fermement décidée à en faire profiter tous ses frères et sœurs de misère. Il arrive fréquemment que des personnes en difficulté se plaignent de leurs malheurs ; si elles ont « raté » leur vie, ce n'est pas de leur faute mais celle de leurs parents ! Elles n'ont pas été comprises, leur mère était trop possessive, ou trop lointaine, responsable de leurs échecs suc-

* Adresse en annexe.

cessifs. Il est tellement plus facile de faire « porter le chapeau » à d'autres ! Pauvres parents, coupables des traumatismes de leurs enfants, malgré leur amour, peut-être parfois trop grand ! Les enfants comme Élisabeth non seulement arrivent à pardonner, mais construisent sur les ruines d'une enfance brisée. Peut-on faire pousser des roses sur des cailloux ?

Élisabeth a su cultiver son amour des siens en l'arrosant de ses larmes !

Le cadre de vie des malades qui suivent une thérapie est essentiel ; dans la mesure du possible, une ambiance chaleureuse doit créer l'illusion d'être en vacances. Il existe à Champier une maison d'hôtes, vieille maison perchée sur une colline, entourée de verdure, d'arbres, d'espace, dans le calme, au-dessus du village. La vue y est superbe ; suivant les saisons, on peut cueillir framboises, cassis, prunes, poires, pommes, châtaignes et, sur la terrasse, les raisins de la treille.

Les soirées sont chaleureuses ; on joue aux cartes, au Scrabble, on discute entre amis...

C'est dans ce genre de havres — paisibles, mais vivants, animés de fraternité — qu'un malade peut retrouver ses forces et ses ressources, et connaître cette transformation profonde qui se vit mais ne s'apprend nulle part.

LES HORREURS DE NOTRE TEMPS

Les familles dites « défavorisées » n'ont pas toujours la possibilité d'assurer de solides atouts à leurs enfants ; pourtant, à l'image d'Élisabeth, nombreux sortent du rang, donnent une image de courage quel que soit leur handicap : physique, social ou autre. L'extrême misère oblige, nous le savons, un enfant à travailler, à se prostituer pour manger ou faire survivre les siens.

Selon moi, le comble de l'horreur est le viol des enfants, pire, le viol par leur père ou un des leurs en qui ils avaient toute confiance. C'est le crime abject, sans excuse, le crime qu'il faudra payer cher, même si ce n'est pas sur cette terre.

Dans les milliers de lettres reçues depuis la parution de mes livres, je suis atterrée par le nombre d'enfants violés ; ils crient leur souffrance des dizaines d'années après le crime. Existe-t-il des mots pour parler de l'inceste ? Comment des pères de famille peuvent-ils tuer la confiance, l'âme de leur enfant ? Sont-ils des monstres ? Certains, on le sait aujourd'hui, ont eux-mêmes été victimes, enfants, d'abus sexuels...

La blessure de l'enfant ne se guérit jamais

complètement, le dégoût, la haine, le mal de vivre gâchent leur vie...

Mona est l'aînée d'une famille de cinq enfants ; son père l'a violée à l'âge de dix ans et ceci pendant cinq ans. Vingt ans après, Mona n'a pas pu se marier, elle pleure chaque jour aux souvenirs passés ; elle ne croit ni en l'homme ni en Dieu, elle ne croit en rien. Sans cesse, elle ressasse son calvaire vécu dans le secret, dans la peur.

À quinze ans elle s'est révoltée, elle a dit la vérité à sa mère ; ce fut le drame, mais heureusement sa maman l'a crue. Après des examens médicaux appropriés, le père a reconnu son horrible geste, mais « une seule fois, dit-il, j'ai perdu la tête ! ».

La maman généreuse, courageuse, a tout fait pour sauver sa fille, son mari, sa famille ; des années chaotiques ont suivi, Mona m'a dit : « Mon père a tout tenté pour sauver la face, homme politique, public, très connu, grand manipulateur d'hommes, de consciences, il fallait que l'" accident " reste secret ! » Mais les relations familiales se sont très vite dégradées, les petites sœurs de Mona ont parlé, étant au courant de la situation.

Une thérapie de groupe et familiale a été suivie pendant quelque temps, elle a innocenté Mona qui se sentait coupable des énormes problèmes posés.

La maman est devenue une morte vivante, sous tranquillisants à hautes doses, bref, une famille déstructurée, où les plus jeunes survivaient en se « débrouillant » au milieu de tensions insupportables.

Mona a quitté les siens, se sentant responsable de l'éclatement de la cellule familiale, elle n'avait plus envie de vivre ; encore maintenant, me dit-elle, « je rêve toujours de fuir, loin, loin... pour essayer d'oublier ». Elle traverse des périodes d'intense chagrin, qui font partir les amoureux potentiels de cette belle jeune fille, dont le comportement leur échappe.

Mona a l'impression de se battre contre un destin dérisoire, elle ne peut envisager un avenir heureux ; elle aime la musique, la peinture, qui l'aident à canaliser sa détresse sans la guérir.

Tous les enfants violés paient par des séquelles très graves pour leur équilibre ; il faut absolument responsabiliser les adultes. Dès les premières pulsions sexuelles vis-à-vis d'un enfant, l'adulte doit se faire traiter ; il peut être soigné et protégé du pire.

Beaucoup de psychiatres, de psychothérapeutes connaissent les dégâts terribles du viol sur l'enfant, mais le cas de l'inceste est pire. C'est un double meurtre, briser le corps, briser l'âme.

Nous savons qu'en Thaïlande, en Amérique du Sud, à Manille et ailleurs, des enfants sont élevés dans un but de prostitution.

Dans le cadre d'une émission de R.T.B.F. (télévision belge) à laquelle j'ai participé avec Michèle Cédric, j'ai vu le combat d'une infirmière belge qui a enquêté sur les « bordels à gosses » de Thaïlande ; j'ai été bouleversée par cet enfant qui a joué avec une voiture comme tous les enfants de son âge, quand il a compris qu'on ne lui demandait pas de se coucher nu sur le lit ! J'ai éclaté de colère devant les images et jeté l'anathème sans m'en rendre compte : « Malheur à l'homme qui abuse des enfants, malheur à ses enfants, à ses petits-enfants ! » Je le regrette ; les enfants ne sont pas responsables des actes de leurs parents. Pourquoi ai-je crié cela devant les caméras de télévision ? Mon cri de révolte était plus fort que ma volonté.

L'ignominie de ces « bons pères de famille » ne mérite peut-être pas mieux, hélas, qu'une descendance dégénérée. Le remords, la souffrance de leur conduite seront terribles au moment où ils quitteront leur corps physique et s'autojugeront. S'il n'existait pas de « consommateurs » avec un pouvoir d'achat considérable, il n'y aurait plus de marchands de petits enfants. Il faut absolument que les consciences se réveillent, et que ce crime soit puni. L'exploitation des enfants est une décadence de l'homme. Pourquoi, mon Dieu, pourquoi existe-t-elle ? Pourquoi est-elle organisée ? Une société où l'enfance devient un objet de profit est une société perdue.

Que font les politiques ? Les religieux ? Nous sommes tous responsables.

Ceux qui se taisent.

Ceux qui en bénéficient.

Ceux qui sont complices.

Que peut-on faire ? Chacun à notre niveau, nous devons agir, informer.

Je ne peux clore, hélas, ce chapitre sur l'horreur sans parler des trafics d'organes d'enfants. Là aussi la responsabilité des Européens est énorme puisque les enfants des pays trop pauvres sont mutilés au profit des enfants des pays trop riches.

Si des médecins, des chirurgiens n'étaient pas complices, pareils crimes n'existeraient pas. D'après plusieurs sources de renseignements que j'ai pu recueillir, bien imprécis parfois, le trafic d'organes est fréquent entre les pays du Sud au profit des pays du Nord.

Les pays d'Amérique centrale et du Sud n'échappent pas à cette nouvelle pratique monstrueuse ; au Guatemala ce trafic est toujours mal connu, on ne peut se fier qu'à la rumeur et à tout ce qu'elle véhicule d'erreurs et de légendes pour permettre d'avoir une opinion précise sur la question.

La situation économique et sociale du pays favorise ce type d'activité. De plus, les trafiquants s'appuient sur une légende, quasiment universelle, de l'étranger, en l'occurrence du Blanc, mangeur d'hommes. Depuis longtemps dans les campagnes, les parents menacent leurs gamins désobéissants en agitant le spectre du grand Blanc qui va venir les manger s'ils ne sont pas sages, s'ils se risquent à courir loin de la maison, etc. ; cette légende profite aux trafiquants, d'une certaine manière en jouant sur l'état de fait. Plus encore, elle s'étend aux adultes, légitimant dans un sens les disparitions des individus, que ceux-ci soient victimes d'accidents banals ou d'enlèvement par l'armée. Il se dit que les Blancs kidnappent les jeunes hommes indigènes pour en faire du « corned-beef » !...

Apparemment les indigènes acceptent cela comme une donnée des rapports du monde. Ces erreurs d'appréciation, loin d'être dénoncées, sont encouragées par un certain pouvoir qui en joue pour justifier ses basses besognes.

Malgré tout, les mères de famille sont très vigilantes, les rumeurs de kidnapping d'enfants circulent dans les marchés, seuls lieux d'échanges d'informations entre les indigènes des différentes régions. L'analphabétisme des mères de famille ne favorise pas le dialogue et les idées reçues ont, dans ce cas, la vie dure. Les mères ne parlent que leur langue et ne savent ni lire ni écrire.

On a signalé par voie de presse un sordide trafic d'organes chez les enfants des bidonvilles de la capitale guatémaltèque, il y a un peu plus de un an. La presse s'est déchaînée contre une femme des États-Unis supposée se livrer à ce genre de trafic ; la rumeur publique s'est emparée de l'information et l'a montée en épingle. La dénonciation de ce genre d'affaire, qui ne s'était encore jamais produite malgré de nombreuses occasions mieux fondées (les faits, dans ce cas précis, n'ont pas été clairement définis), coïncidait avec une stratégie politique manifeste : recentrer la population autour d'idées nationalistes. Depuis quelque temps, on assiste à une remontée du pouvoir de l'armée et à la conso-lidation de valeurs réactionnaires visant en particu-lier les étrangers, surtout ceux qui agissent pour la défense des droits de l'homme ; l'armée semble donc complice. En Colombie également... et ailleurs.

Peu de temps après, en janvier 1994, une jeune journaliste des États-Unis prenait des photos d'enfants sur le marché de la place centrale de Coban, au nord du Guatemala : région touristique, pas particulièrement « sensible ». Les mères de famille ont pris peur et lui ont lancé des pierres ; la jeune journaliste a été lapidée devant les respon-sables de la police et de la municipalité qui ne sont pas intervenus. Cette affaire a fait grand bruit dans le pays, alimentant d'autant la rumeur... La femme traumatisée est rentrée chez elle, son pays a déclaré le Guatemala zone dangereuse et déconseillé à ses ressortissants d'y voyager, avec les conséquences dramatiques qu'on imagine, pour de nombreuses personnes vivant du seul tourisme dans ce pays.

Ces histoires ont de nombreuses conséquences sur le travail des organisations non gouvernemen-tales. S'occuper de la santé des enfants devient sus-pect, équivoque. En ce qui concerne les associations humanitaires, le fait de contrôler le poids des enfants dans un programme de prévention contre les diarrhées a été interprété comme une façon de les engraisser, améliorer leur santé pour pouvoir par la suite les enlever, les exporter, voire les manger !... Les « médecins aux pieds nus » essaient sur le terrain d'éduquer les mères, d'expliquer le danger des mutilations d'enfants à qui on enlève des organes pour les revendre. Mais ces pauvres femmes qui vivent dans des situations plus que précaires ne comprennent pas. Dans certains endroits où des « médecins aux pieds nus » se dévouent sans relâche depuis plus de quatre ans pour préserver des enfants, la population ne comprend toujours pas le danger car le trafic d'organes est bien réel mais il est difficile de savoir comment il est organisé ; on peut seulement supposer que la mafia bénéficiant d'appuis logistiques dans le pays, en marge des droits de l'homme, s'occupe particulièrement de cette affaire. Cette entreprise n'est pas étrangère aux trafics de drogue, d'armes... qui s'opèrent près de la frontière du Mexique en particulier, et qui font entrer bon nombre de devises dans le pays.

La situation politico-économique particulière du Guatemala donnant tout pouvoir à de grandes familles propriétaires, avec la subordination de l'armée, et des relations d'échanges avec les grands trusts des États-Unis, encourage ce système. Les enfants comme les adultes sont repérés surtout dans les bidonvilles de la capitale ; la chasse aux délinquants, victimes rebelles de la misère immense qui mine les grandes capitales de l'Amérique latine, est un bon prétexte pour abuser de la notion d'ordre réclamée par les populations possédantes. Sous ce prétexte, on estime, bien que là aussi il soit difficile de l'affirmer, que l'on tue les enfants et adolescents pour en exploiter ensuite la dépouille.

Ces crimes ne sont pas les seuls à être occultés. Des enquêtes ne peuvent pas être réellement menées à bien, il est donc difficile d'affirmer quoi que ce soit car on ne possède pas de preuves formelles. Cependant on peut accorder, dans une certaine mesure, crédit à la rumeur et cette rumeur circule dans de nombreux pays.

Ces renseignements ont été obtenus par courrier de différents pays d'Amérique du Sud. Ils n'appellent pas de commentaires, mais une réflexion et des prières ; comment après cela ne pas avoir honte d'appartenir au genre humain... !

À notre mort nous devrions laisser nos organes à la science, à la médecine, ce peut être l'ultime cadeau qui sauvera une vie humaine. Je connais le cas d'un enfant sauvé par la greffe d'un foie, offert par une famille dont l'enfant avait été tué accidentellement. Quel plus beau geste que d'offrir les yeux d'un enfant qui s'en va, pour qu'un petit aveugle voie ? L'enfant de lumière n'a plus besoin d'organes physiques. Il faut avoir accompli un travail spirituel important pour comprendre et réaliser ce don d'amour.

Il y aurait beaucoup à dire sur l'exploitation de l'enfance ; en Colombie, des milliers d'enfants abandonnés sont violés, battus, tués, sans que les consciences en soient trop perturbées ; les petits travaillent dans les mines, fouillent les immondices... pour survivre.

Des associations existent pour lutter, sauver ce qui peut l'être. Il faut les aider, les financer, chacun à notre niveau.

En Europe, en apparence, les problèmes sont

moins graves. La vie de notre société, dans vingt ans, reposera pourtant entre les mains des jeunes d'aujourd'hui. Nous venons de subir des inondations catastrophiques, je me demande si les hommes politiques responsables de l'urbanisme dans ces régions ont appris dans leur enfance l'importance des lois de la nature.

Les images que nous offre l'actualité sont démoralisantes. Notre jeunesse, en état d'insécurité, cherche à échapper à la réalité, par exemple, dans la drogue, ou dans les sectes. Les problèmes de la drogue commencent à être banalisés, on parle de « drogues douces ». Il n'existe pas de « drogues douces », elles sont simplement la première marche vers l'enfer ; il est vrai que certains peuvent fumer pendant des années sans trop de dégâts physiques apparents, mais c'est le piège, car d'autres peuvent être complètement déstabilisés dès les premiers « joints » de hasch. Chez les êtres sensibles, hyperémotifs, l'herbe peut conduire au dédoublement des corps (physique et spirituel), c'est la schizophrénie. D'ailleurs cette maladie est bien connue pour favoriser la fuite d'un état, d'une situation inacceptable. Il faut que les jeunes sachent, quelle que soit la drogue utilisée, qu'elle transforme leurs vibrations et attire des forces négatives qui s'accrochent à eux et ne les lâchent plus. C'est une des raisons pour lesquelles bien souvent un adolescent n'a plus de volonté, arrête ses études ou son travail, vit tard le soir, dort dans la journée, glisse doucement mais sûrement vers une forme de délinquance ; la drogue coûte cher, il faut parfois en revendre ou voler pour assumer les besoins, etc. Les pièges sont nombreux.

Le chômage est décourageant, j'ai un petit-fils ingénieur, intelligent, mais qui n'a pas de travail malgré ses diplômes. Les études supérieures coûtent cher (inscriptions, hébergement,...), on ne peut pas toujours faire ses études dans sa ville ou son village. Les orientations mènent souvent vers des voies de garage ; le mal d'être, le mal de vivre, la violence donnent une vilaine image de notre jeunesse ; pourtant beaucoup d'entre eux sont engagés dans la vie active ; joyeux et heureux, ils ne demandent qu'à rendre service, et ce sont les plus nombreux. Ils sont notre espérance ; croyants, ils ne tomberont pas dans les griffes des sectes. Le problème des sectes ne touche pas aujourd'hui que les jeunes et je reçois de nombreux appels de détresse de parents d'un certain âge, abandonnés, rejetés par les leurs, parce qu'une secte les a « engloutis » corps, biens et âme.

J'ai reçu la visite d'une dame d'un certain âge, son mari venait de mourir ; seule sans enfant, dépressive, elle a ouvert son oreille et sa porte à des inconnus très aimables qui l'ont entraînée dans une secte. Très encadrée, programmée, cette pauvre femme a été « rebaptisée », un jour d'hiver, dans un baquet d'eau froide, elle a attrapé une congestion pulmonaire. Transportée à l'hôpital, lâchée par obligation par ses accompagnateurs, seule avec elle-même et sa conscience, elle a réalisé qu'elle avait été manipulée. Très peinée, culpabilisée, elle est venue me raconter son aventure, je l'ai consolée de mon mieux. Puisqu'elle était catholique de religion, je lui demandé de rencontrer et d'expliquer son cas au prêtre de sa paroisse et tout s'est très bien terminé pour elle.

L'état de souffrance et de solitude dans lequel se trouvait cette personne a favorisé cette « prise en charge » un peu particulière. Il faut être très vigilant ; en principe les sectes répondent à certains critères de base :

— Bien souvent, une communauté de vie, qui permet d'isoler le sujet, de le séparer de sa famille à des fins de programmation psychique.

— L'argent. La secte récupère au bout d'un certain temps tout l'argent de son adepte. Et s'il n'en a pas, il travaille pour elle, ce qui revient au même, aucun salaire ni charge sociale n'existe.

— L'attrait de la fraternité, d'une nouvelle famille, de la sécurité, l'attrait religieux, la fascination du gourou, la vie sexuelle libre, ses débordements exercent une fascination néfaste.

Les « suicides » ou crimes de cette secte suisse dont tous les membres devaient mourir prouvent aussi que des forces démoniaques peuvent agir dans notre monde déboussolé, sans repères, exposant nos jeunes, surtout s'ils n'ont pas d'avenir, à de terribles destins. Bien d'autres raisons peuvent être à l'origine de la souffrance d'un enfant ; il n'est pas toujours possible à la famille de le préserver. Son destin lui appartient, gardons en tête que son esprit est comme une plante : fragile au départ, arrosé de tendresse il s'épanouira, sa beauté attirera de nombreux êtres. Apprenons-lui la spiritualité vivante, celle qui se vit au quotidien, celle qui lui permettra un jour de découvrir la richesse ; la vraie, cachée dans l'humble brin d'herbe, dans l'écoute du chant de l'oiseau, dans le rayon du soleil, dans la ronde des mains soudées autour de la terre, dans le regard de son voisin. Cette richesse lui permettra de faire face dans les grandes détresses de la vie, s'il doit les affronter.

Martin Gray a touché plusieurs fois le fond de la détresse humaine ; enfant juif, il a dû porter le poids de ce crime : être né juif ! Puis l'anéantissement des siens, à deux reprises : la première fois par la sauvagerie des hommes, la seconde par la force des éléments. Qu'a-t-il fait ? Il a survécu, il a donné l'image de la dignité, ses livres sont de pures merveilles. Par les ressources qu'il a pu trouver en lui, il a reconstruit pour repartir avec cette même grandeur tranquille, de l'être qui a la foi et l'énergie de continuer.

Dans cet ordre d'idées, j'ai connu Olivier après l'accident de voiture qui a coûté la vie à ses parents et à sa petite fille. Bien sûr, Olivier n'est pas Martin Gray, mais un homme qui a perdu en quelques minutes des êtres chéris, parce que l'autre, celui d'en face, était irresponsable. Olivier a été adopté à l'âge de quatre ans, fils unique dont les parents étaient ses meilleurs amis ; Olivier, marié, a eu trois enfants, deux garçons et une petite fille, Ingrid. Quelques jours avant Noël, la petite part faire des courses avec ses grands-parents, une voiture conduite par un chauffard ivre les a fauchés de plein fouet faisant quatre morts ; Ingrid, son papy et sa mamie ont brûlé vifs. Voici deux générations frappées par une horrible tragédie dans un petit village ; Olivier et son épouse ont été complètement traumatisés et la maman a voulu mourir pour retrouver sa fille, les garçons étaient perdus entre une maman affectivement absente et un père désespéré ; ils ne savaient plus du tout qui ils étaient.

Combien de drames sur les routes plongent tous les jours des familles dans un trou noir ? Combien d'irresponsables en liberté ? Malheureusement on ne mesure les conséquences qu'après l'accident. Passez un jour à Lamalou-les-Bains, ville où se trouvent de nombreux centres de rééducation, vous y verrez dans les rues des fauteuils roulants. Il faut prendre conscience que, dans une voiture, un volant dans les mains, nous pouvons aussi un jour ou l'autre briser une vie humaine et celle d'une famille. Reconnaître que quelques minutes d'inattention peuvent être fatales est déjà le commencement de la sagesse.

Tous ces phénomènes de société ne sont pas gais, mais avons-nous le droit de fermer les yeux ? Ce sont des phénomènes de vie. Nous pouvons tous les rencontrer un jour : mieux vaut les reconnaître pour les éviter.

Bien souvent, des adultes responsables comme sont supposés l'être les enseignants ne réalisent pas l'importance de l'exemple qu'ils peuvent incarner pour ceux qui leur sont confiés.

Gilles, comme tous ses camarades de l'université, a été invité par un de leurs jeunes professeurs à une soirée « rave », c'est-à-dire une soirée où l'on fume autre chose que du tabac. Quelques mois après, deux de ses copains plongeaient dans la dépendance de la drogue. Catastrophé, Gilles est venu me demander de faire une causerie sur ce problème. Ce professeur « très sympa », ouvert aux jeunes, avait une autorité morale certaine sur les 76 étudiants ; l'« herbe » pour lui n'était pas nocive ; ce n'était pas un dealer mais il ne connaissait pas les dangers cachés, au niveau vibratoire, d'expériences douteuses, chez des êtres fragiles. Il est au cours de notre parcours humain d'autres rencontres dangereuses, celles de ces âmes basses liées aux forces obscures qui alimentent certains êtres. Comme le soleil et l'ombre existent, il est dans l'invisible des forces blanches (le bien), noires (le mal), qui peuvent perturber les humains. On parle alors d'envoûtement. Ce phénomène est très rare ; il suffit d'un peu de foi et de prières pour le rendre impossible, mais...

dans certaines circonstances de la vie terrestre, la méchanceté, l'intérêt personnel, la violence peuvent engendrer de redoutables chocs en retour, provoquer des effets boomerangs. Ce sont pour moi les tempêtes qui peuvent bouleverser notre vie, ce sont des orages qu'il faut pouvoir traverser en limitant les dégâts.

Qui sème le vent récolte la tempête.

DES ÊTRES RESPONSABLES

L'homme est petit, perdu au sein de l'immensité qu'on appelle UNIVERS, mais il porte dans son cœur la lumière éternelle dont il est le reflet. Chaque être humain peut être un tabernacle dont il devra un jour ouvrir la porte ; pour l'homme, à mon avis, il n'est pas d'autre finalité. Nous devons tous méditer sur l'importance de notre comportement ; si nous voulons que la moisson soit bonne, appliquons-nous aux semailles.

Quand un paysan plante des carottes, il récolte des carottes, s'il plante des salades, il récolte des salades. Aussi petits que nous soyons, là où nous sommes si nous semons la joie, nous serons un jour entourés d'amis aimants et sincères qui auront envie eux aussi de semer l'amour. Ainsi dans un monde matérialiste s'allumeront ici ou là de petits foyers lumineux qui éclaireront tous ceux qui voudront bien s'approcher. Il ne suffit pas d'aller à la messe, au temple, à la synagogue, à la mosquée ; il ne suffit pas de donner dix francs ou cent francs à une quête pour avoir bonne conscience, être libéré de ses devoirs. La spiritualité se vit à travers un comportement quotidien, elle nous rend conscients de nos actes, responsables de tout ce que nous faisons. Un être humain qui ment, celui par qui passe et se répand la calomnie, celui qui est habité par la haine ne pourra jamais évoluer et grandir dans la sagesse ; ses vibrations créent un malaise, on le craint, on l'évite. Il terminera sa vie seul dans un désert spirituel.

Par contre, certains êtres attirent par leur rayonnement, leur gentillesse. Dans une situation conflictuelle ils seront médiateurs, ils sauront mettre le grain de tolérance, de pardon et d'amour pour arriver à une réconciliation. Dans une vie humaine, il est impossible de ne pas rencontrer sur sa route ces situations de souffrances qui engendrent tant de dégâts — au niveau de l'individu, de la famille, du village, du clan, des religions ou de la politique. Le mensonge peut empoisonner et détruire une relation heureuse.

Le mensonge est douloureux, nous avons des amis, nous les aimons, nous les aidons et bien sûr nous les croyons. Un jour nous apprenons qu'ils nous ont menti, ils se sont donné une apparence, un reflet trompeur, ils ne sont pas du tout ce qu'ils prétendaient être. Quelles en sont les raisons ? Dans quel but ?

Dans un couple, si l'un trompe l'autre, l'adultère passe par le mensonge ; bien souvent le menteur est entraîné dans des situations impossibles, un mensonge en provoque un autre, le mensonge est plus difficile à pardonner que l'adultère lui-même. Il provoque une cassure. Un vase précieux cassé et recollé après une chute reste beaucoup plus fragile. Comment pouvoir faire confiance à celui qui vous a berné ? Il faut pour cela une bonne dose d'indulgence... et d'amour. La pilule est amère ; il faut toujours être clair ; lorsque nous n'avons rien à cacher nous sommes libres. Le mensonge innocent des enfants n'est pas « un vrai mensonge » ; les enfants racontent souvent des histoires extraordinaires, ce ne sont pas pour autant des menteurs. Soit leurs yeux voient ce que nous ne voyons pas, soit ils sont encore en contact avec le monde qu'ils viennent de quitter depuis peu de temps. Ils en sont encore imbibés ; ou bien leur imagination créatrice se met en route et les conduira peut-être à un vrai talent. Il ne faut pas tuer un don naissant...

Par contre, si un enfant ment sciemment dans son intérêt ou pour se rendre intéressant, il faut sévir. Ma petite Marie, trois ans, que j'adore, m'emmène un jour dans une pièce vide, pour me dire sur un ton de confidence :

« Tu sais, Mamie, papa m'a battue.

— Papa t'a battue ? Pourquoi ? Qu'avais-tu fait ?

— Rien, absolument rien, je ne sais pas ! »

Retournant au salon, je demande à mon fils pourquoi il a frappé sa fille.

Quand ma petite Marie, me regardant bien dans les yeux devant son père, s'écrie :

« Mais non, j'ai pas dit ça ! Papa ne m'a pas battue ! »

Marie a reçu une bonne fessée sur-le-champ, pour la dissuader de raconter des histoires. Le mensonge peut conduire à la calomnie. Un air d'opéra décrit bien le travail souterrain, sournois, de la calomnie, c'est l'ennemi sans visage qui distille le poison.

Avez-vous rencontré un jour la calomnie ?

Marion et Jeanne sont deux amies d'enfance. Dès les bancs de l'école, unies par la complicité de l'âge, de leur milieu social, de l'amitié, des joies et des peines partagées, elles sont inséparables.

Un jour, au cours d'une réunion publique, Jeanne

prononce quelques phrases à l'encontre de Marion. Phrases absolument innocentes dans leur contexte, mais pouvant être agressives coupées de lui. Aussitôt une « gentille » petite copine, jalouse de cette amitié si solide, s'empare du sujet. Elle téléphone à tous les gens présents. La phrase déformée est devenue une attaque en règle contre Marion, qui apprend l'histoire avec stupeur. Marion, d'un naturel très franc, téléphone à Jeanne, lui faisant d'amers reproches qui plongent Jeanne dans une égale stupeur. Elle ne comprend pas pourquoi elle aurait dit de pareilles horreurs sur son amie de toujours. Jeanne est très profondément blessée, elle a mal, désolée de découvrir que son amie ait pu croire cette rumeur. Voilà nos deux amies sérieusement fâchées.

Si la « gentille » copine s'était tue, bien sûr, rien ne serait arrivé. Mais si les confidents n'avaient pas écouté, rapporté, déformé cette malveillance...

Un jour à leur tour ils auront à subir cette peine, je suis bien certaine que rien n'est perdu, les bonnes comme les mauvaises pensées. Comme la balle jetée contre le mur, qui toujours nous revient.

Cette sotte petite histoire est le reflet de bien des querelles familiales, de brouilles de village. La rumeur peut devenir plus grave, plus lourde, gâcher une vie. La calomnie peut prendre différentes formes, par exemple, utiliser le téléphone, la lettre anonyme, le « on » de « on m'a dit »...

Les corbeaux ont toujours existé ; notre maison est construite dans un bois où logent beaucoup d'oiseaux dont des corbeaux. Lorsqu'un de ces oiseaux se regarde dans les baies vitrées de la maison, croyant voir un ennemi il devient furieux, croasse pour appeler les autres à l'aide, de colère il s'arrache les plumes de la queue avec le bec, et s'envole en laissant à terre sa fiente.

À l'image du « corbeau humain », dans sa colère et sa stupidité, il se fait mal à lui-même avant de déposer le souvenir de sa méchanceté.

Il faut donc faire face avec des pensées positives. Aucun être humain n'est parfait, mais il faut voir en lui la petite lueur divine qui grandira un jour. Hélas, pour ce faire, que de souffrances parfois à subir !

Cultivons les roses de notre jardin secret, ne laissons pas la mauvaise herbe les envahir. La calomnie est la sœur de la haine, qui insensiblement submerge l'homme, salit injustement. Etty nous a donné l'exemple du pardon, face à la haine aveugle ; la haine qui mène souvent au crime, car la haine conduit à la folie. Elle peut user le cœur comme une goutte d'eau use la pierre avec le temps. Elle se nourrit d'orgueil, voile le regard qui ne peut voir le ciel, elle tue l'amour, elle est la force des faibles, elle intoxique l'âme et le corps. La haine est la langue du diable, comme l'amour est la langue des anges.

Un être humain envahi par la haine n'a plus de liberté, plus d'amour en lui mais une idée fixe, une seule, abattre, faire mal à celui qu'il croit son adversaire. Il est extrêmement pénible de rencontrer sur sa route ce sentiment dévastateur ; la haine ne peut se raisonner ; de plus, sa sœur, la trahison, l'accompagne souvent. Que faire si vous en êtes victime ?

Daniel et moi avons fait l'expérience de la haine aveugle, bâtie sur rien, « sur du vent », une seule fois dans notre vie. Nous nous sommes trouvés faibles et désarmés ; la méchanceté laisse démunis ceux qui n'ont pas une âme de boxeur. Nous avons totalement coupé les ponts avec ces pauvres gens ;

nous avons compris que la sorte de folie qui les habitait ne devait pas être alimentée ; la haine envahit des êtres malades, envieux, malheureux ; il faut pouvoir prier pour eux.

Mais elle peut cacher une redoutable soif de pouvoir, un désir d'écraser tous ceux qui lui barrent le passage et en ce cas conduire à la délation, voire à la torture ou au crime. Dans certains conflits, comme celui que vient de vivre le Rwanda, des milliers de femmes et d'enfants ont succombé à la haine.

Il est, je le sais, difficile d'oublier, c'est pourtant notre seule arme. Il faut libérer totalement notre esprit, ne jamais répondre à l'attaque, nous serons alors bien plus forts. Il est toujours dans le ciel un bel arc-en-ciel après une tempête, regardons l'arc-en-ciel, notre âme gardera alors son calme, sa confiance en l'homme et son espérance. Parmi les hommes, les uns sont des cailloux, les autres des joyaux ; certaines pierres coupantes, bien taillées, peuvent devenir diamants.

Deuxième partie

LA VIE SPIRITUELLE

MARCHONS VERS LE SOLEIL,
NOUS AURONS CHAUD

Lorsque nous arrivons à soixante-dix ans, que notre vie terrestre est bien « avancée » et que nous réfléchissons aux actes de notre vie, aux tempêtes, aux difficultés que l'on rencontre, aux joies qui nous ont apporté le bonheur, que nous reste-t-il ?

Il nous reste tout ce que nous avons donné, que nous soyons croyants ou non, pratiquants ou non, si nous avons été aimants, généreux, et priants, la paix est avec nous.

Bien sûr, notre chemin n'est pas toujours jonché de roses ; la vie est un combat, mais il faut savoir se battre ; je sais qu'une aventure spirituelle comme la nôtre a un caractère d'exception, mais je suis certaine que beaucoup d'êtres humains un jour ou l'autre reçoivent des signes du Ciel. Les ont-ils écoutés ? Les ont-ils compris ? Se sont-ils posé des questions ? Ou bien les ont-ils écartées, parce que trop gênantes, trop dérangeantes, demandant trop d'efforts ?

Je suis certaine que la vie spirituelle passe par la porte du dépouillement ; savoir donner de son nécessaire... comme c'est difficile !

Si nous sommes convaincus qu'un monde invisible nous entoure, prêt à nous aider si nous le désirons, même si ce monde silencieux est impalpable, il est.

Sachons mériter son aide, il faut que nos vibrations soient suffisamment élevées pour que le message passe ; sinon la cupidité, l'envie, la jalousie et tous nos pauvres défauts d'humains nous entourent d'un cocon de vibrations si basses qu'elles créent un mur de béton entre les esprits de lumière et nous. Et pourtant il nous est permis des moments d'extase, de douceur, par exemple : la splendeur d'un coucher de soleil embrasant le ciel un soir d'hiver quand la neige habille tous les arbres d'une robe nuptiale, illuminée par le disque d'or devenu rouge. Les robes blanches scintillent de mille lumières minuscules, c'est le moment où le ciel descend sur la terre ; des présences divines nous entourent, c'est le temps de la rencontre ; le temps de la prière ; le temps de la joie qui nous envahit cellule par cellule, notre cœur bat au rythme de la nature, au rythme de l'au-delà. Merci, mon Dieu, de permettre ce bonheur merveilleux, avant-goût du paradis.

Nous avons tous un ou plusieurs anges gardiens qui veillent sur nous, ils essaient de communiquer avec nos sens imparfaits par la voix de notre conscience ; parmi ces êtres angéliques, ces médecins du Ciel, Etty, qui est si près de moi. Cette expérience vécue peut aider à comprendre les innombrables liens entre ciel et terre.

Etty, infirmière des maquis du Vercors, a été déportée à Ravensbrück le 25 juillet 1944. Morte, gazée en mars 1945, elle communique depuis bientôt quarante ans avec moi par le truchement de la médiumnité de Daniel, car l'amour n'a pas de frontières, l'amour relie le ciel et la terre.

Pourquoi Etty ? Pourquoi toi ? me demande-t-on souvent.

C'est une histoire d'amour singulière entre deux natures complices, l'une au ciel, l'autre sur la terre. Ni l'une ni l'autre n'avons rien de mystique, d'irréaliste ; toutes les deux nous avons été et « sommes » de « bonnes vivantes ».

L'une au ciel, l'autre sur la terre. L'une, hélas, a croqué la vie à pleines dents, trop peu de temps, l'autre est toujours là pour l'instant. Combien de temps... ?

Dieu seul décide.

Pourquoi ce lien entre nous deux ? Honnêtement, je ne sais pas !

Les choses sont, se vivent parfois sans que nous les cherchions ou les désirions. Etty et moi communions, communiquons dans cet amour que Dieu permet à certains êtres.

De très nombreuses analogies existent entre nous, je ne peux les expliquer. Par exemple : je suis restée près de vingt ans à l'Action éducative, au tribunal de Grenoble, près du juge pour enfants, pour aider des enfants et adolescents en difficulté.

Etty a été la première assistante sociale en France au service du juge pour enfants, au tribunal de Valence.

Etty était infirmière. J'ai voulu l'être.

Etty est une héroïne de la Résistance. Mes parents nourrissaient les maquisards qui ont vécu cachés dans la forêt à Champier, avant de rejoindre le Vercors. Elle aimait la vie, la musique, la liberté. Moi aussi. Elle était joyeuse, j'adore rire. Parfois j'ai un peu de remords : je me dis que, tant que je vis sur cette terre, Etty reste près de moi, m'aide dans la mission difficile que j'ai acceptée.

Mais très vite, je réalise qu'une vie humaine, même de quatre-vingts ans, n'est qu'un éclair, par rapport à l'éternité. Dieu nous a créés immortels.

Qu'est-ce que l'immortalité pour un être humain ? En avons-nous la moindre idée ? Nous ne voyons pas plus loin que le bout de notre nez. Si seulement nous avions des trompes d'éléphants !

Nos limites nous ramènent sans cesse à beaucoup d'humilité. Il nous est impossible de tout savoir, de tout connaître.

Etty fait partie de ces êtres de Lumière, intermédiaires entre les hommes et Dieu le Père.

Je suis si imparfaite que je ne saurais espérer une rencontre avec LUI. Les relations avec mon ange sont plus faciles. Elle peut intervenir rapidement, lorsqu'une cause est grave, urgente, essentielle. Mais ce que je crois important ne l'est peut-être pas, en ce cas... même si je sollicite un conseil, elle ne répond même pas !

J'ai pris conscience depuis des années que je suis une femme de terrain, d'action ; je dois aider les autres dans la mesure de mes moyens.

Parfois avec un coup de pied dans les fesses. Parfois en berçant un trop gros chagrin dans mes bras. Il me semble que, là encore, je me rapproche d'Etty, femme de terrain, engagée totalement dans son idéal, au risque de perdre la vie.

Etty, qui soignait inlassablement les blessés du Vercors.

Etty, qui chantait pour les mourants à Vassieux.

Etty, entrant, en entonnant « La Marseillaise », dans la chambre à gaz, à Ravensbrück.

C'était sans doute pour faire accepter la mort à ses compagnes de misère. Elle a aidé jusqu'au dernier moment. Elle continue de l'au-delà en me soutenant, elle assiste des centaines de détresses, après avoir totalement pardonné à ses bourreaux.

LA GROTTE DE LA LUIRE

Toi qui viens ici, apporte ton âme...

En souvenir d'Etty nous allons souvent à la grotte de la Luire, dans le Vercors, pour nous recueillir, nous ressourcer, dans ce haut lieu de la Résistance française, entre La Chapelle-en-Vercors et Vassieux.

Nous gravissons en silence le petit sentier à flanc de montagne, qui débouche sur ce lieu qui reçut les grands blessés, les soignants, le révérend père de Moncheuil, prêtre du maquis.

Notre prière, notre hommage à Etty sont aussi ceux rendus à tous ses camarades, à tous ces martyrs ; ils nous rappellent leur tragique destin et soulignent l'importance de leurs engagements.

Nous repartons dans le silence, toujours, en gardant dans nos cœurs le souvenir SACRÉ de toutes ces vies offertes, pour un idéal de Liberté, de Paix, d'Amour.

Je me dis parfois : faut-il que notre pauvre terre soit une école de souffrance, pour que de nos jours, en 1995, il y ait encore des hommes qui se battent, des camps de concentration, des hommes torturés, des hommes qui meurent de faim, des enfants qui souffrent, des enfants qui meurent ?

Faudra-t-il toujours des épreuves terribles, des douleurs horribles, pour que les hommes évoluent ?

Il y a pourtant tant de bonnes volontés, tant de héros, tant de pardons, tant de sacrifices, que l'espérance doit habiter nos cœurs.

Je vais vous livrer ici un message reçu du Ciel, il y a bien longtemps, pendant le début des massacres qui ont été commis au Cambodge. Que ceux qui le lisent aient, quelques secondes, chaque jour, des pensées ou de prières, pour la PAIX. Etty m'a dit, au moment de la guerre du Golfe :

« Si tous les hommes conscients, de bonne volonté, avaient tous les jours une pensée, une prière pour la PAIX, il n'y aurait plus de guerre. »

EXTRAIT DE MESSAGE
REÇU PAR DANIEL

Mon cœur pleure en voyant mourir mes frères...
Mon cœur souffre... toute cette haine... toute cette férocité...
Mes frères tombent... mes frères se battent... mes frères sont tués...
C'est une guerre sans pitié, sans merci... sans arrêt.
Mon cœur crie lorsque dans ce monde coule une rivière de sang... de sang... rouge... épais.
Des enfants pleurent... des mères se désespèrent...
La misère s'abat...

Mon cœur saigne... mon cœur demande des prières...

Mon cœur demande de l'AMOUR...

Mon cœur voudrait faire exploser l'amour, le répandre sur le monde.

Mon cœur voudrait voir sourire tous les enfants de la terre...

Mon cœur voudrait voir germer dans le cœur de chaque homme un amour fraternel... un amour tel que Dieu le veut... un amour qui ignore la haine, la haine dissipée, effacée à tout jamais...

Mon cœur voudrait voir des champs de fleurs s'épanouir... s'ouvrir aux rayons du soleil... se fermer à tous les autres.

Mon cœur voudrait voir briller les yeux de chaque être... des yeux aussi pétillants que ces étoiles qui scintillent...

Mon cœur pleure en voyant les hommes qui sont frères, qui veulent l'ignorer, se battre sans savoir pourquoi, poussés par la haine mise dans leurs cœurs...

Mon cœur s'apaise en voyant vos cœurs... Il espère qu'un jour tous les cœurs battront à l'unisson dans l'univers entier...

Ce message n'est pas réconfortant... mais si tous les hommes pouvaient être égaux un jour... la terre serait gorgée d'Amour... Quelle espérance... !

Il est triste à notre époque, après tant de guerres, de cataclysmes, de misère, de famines, que l'homme, encore, détruise...

Que vos âmes vibrent à l'unisson.

116

Que vos âmes prient Dieu, pour faire vibrer les
cœurs de pierre.
  Nous avons foi en VOUS
  Nous espérons en VOUS.
  Nous croyons en l'AMOUR.
Avec vous, ce soir, prions.
Avec vous, ce soir, nous crions.
AMOUR... PAIX... ÉGALITÉ... FRATER-
NITÉ.

> *Si tu veux tuer ton frère, c'est toi que tu*
> *assassines.*

Ce message que nous avons reçu au moment du
génocide du Cambodge est, hélas, d'actualité. Mais
l'histoire est un éternel recommencement, la folie
des uns ne sert jamais de leçon aux autres ; il est
des idéologies démentielles qui entraînent des
hommes programmés par un système démoniaque
à des actes de barbarie pure. Comment peut-on tor-
turer un être humain ? Comment peut-on participer
à un génocide ?

Les médias nous montrent enfin, cinquante ans
après, les images des camps de concentration, des
camps de la mort où des millions d'innocents ont
été acculés à la déchéance, réduits à l'état de bêtes
pour essayer de survivre.

Mon cœur saigne sous le poids trop violent des
images.

Aujourd'hui il existe encore des camps semblables, des hommes réduits à l'esclavage : personne ne

117

bouge. Pourquoi les responsables religieux ou politiques ne dénoncent-ils pas pareilles horreurs ? Bien sûr, il y a de superbes discours, qui parlent de paix et d'idéologie, les théories sont magnifiques, mais où sont les actes ? Sont-ils capables, ces beaux parleurs, de concrétiser leurs discours ?

Entendent-ils les cris, les appels au secours ? Sont-ils sourds aux cris des peuples à l'agonie ? Incapables d'actes humanitaires, qu'ils devraient, qu'ils pourraient accomplir, ils sont stériles, imbus d'eux-mêmes, fiers de leur savoir. Devant Dieu, ils sont certainement très pauvres.

À l'heure du départ, notre vie à tous défile en quelques secondes, nous faisons notre bilan. Nous sommes heureux du partage de l'amour donné, mais le chagrin de nos mauvaises actions nous envahit ; et aussi le regret des belles choses... que nous aurions pu accomplir.

Il est donc très important, en fin de vie, de se réconcilier avec soi-même d'abord, avec les autres ensuite. Certains hommes peuvent entrer dans une spirale de violence, malgré eux. Otto avait dix-sept ans en 1944 ; enrôlé dans les troupes nazies, il a participé aux massacres du Vercors ; il a connu la grotte de la Luire... puis la retraite des troupes allemandes, et finalement fut fait prisonnier dans l'est de la France.

Otto avait une adoration pour Hitler, c'était une sorte de Dieu venu sur terre, destiné à établir l'ordre nouveau ; il ferait régner la justice, l'égalité, la propreté morale. Un libérateur. Il était nécessaire d'exterminer la « racaille », c'est-à-dire les juifs, les gitans, les communistes, les résistants, tous ceux qui n'étaient pas d'accord, tous les ennemis de la glorieuse Allemagne ; pour toute la jeunesse, bien conditionnée, il était impensable que leur pays perde la guerre.

Otto rencontra l'amour de sa vie pendant sa captivité, une jolie Lorraine qui devint son épouse, la mère de ses cinq enfants. L'amertume de la défaite des siens, jointe à l'amour pour sa femme, qui, ironie du sort, avait été résistante, éveilla en lui une prise de conscience. J'ai fait la connaissance de ce couple ami, cinquante ans après la Libération. S'il avait été un excellent mari, un bon père, un adorable grand-père depuis peu, Otto n'avait jamais accepté de parler du Vercors, sujet tabou ; blocage total, d'après sa femme. Dès que des liens d'amitié se sont établis entre nous, je ne me suis pas gênée ! « Je crois que vous connaissez le Vercors, Otto, je suis de la région. »

Immédiatement son visage souriant est devenu de marbre, ses yeux bleus ont lancé des éclairs : « Qu'est-ce que cela peut vous foutre ? » a-t-il aboyé. Nous avons parlé longtemps, j'ai raconté Etty, son pardon au nom de tous les martyrs, son aide, sa pitié pour le peuple allemand massacré à son tour à la fin de la guerre.

Il a compris ce pardon sans limites qui a fait une sainte d'un être torturé. Otto a pleuré, son épouse bouleversée répétait sans cesse : « C'est la première fois, Maguy, que mon mari peut enfin aborder cet épisode de vie. Il va se libérer. » Ils sont entrés dans un groupe d'accompagnement pour participer à cette grande chaîne fraternelle d'aide ; à ma grande surprise, ils sont venus me voir et visiter le Vercors. Quelques mois après, à la grotte de la Luire, Otto est tombé victime d'une crise cardiaque au pied de la plaque dédiée à Etty. Heureusement ce grave malaise a pu être soigné, il est guéri, dans le sens physique et spirituel de ce terme.

Le même phénomène s'est produit également chez un Allemand, à la dernière fête de l'amitié. Ces émotions sont très fortes, réveillent trop de souvenirs atroces, mais elles sont libératrices d'un passé qu'ils n'ont peut-être pas choisi... En tout cas un passé qu'ils n'ont ni maîtrisé ni oublié.

Ce sont mes amis. La chaîne de nos mains soudées a remplacé la rancœur et m'a aidée moi aussi à libérer mes vieux démons.

Je remercie cet ami allemand qui m'écrit :

« À genoux, au nom de mon peuple, je demande pardon à Etty et à tous ses camarades de ce qu'ils ont subi. Je ferai tout mon possible pour vous aider, toutes les deux, dans cette œuvre libératrice dont nous avons tant besoin. »

LES GROUPES D'ACCOMPAGNEMENT

Notre plus grande richesse est notre liberté.

Notre premier groupe à Grenoble a bientôt quarante ans, il a essaimé autour de la terre. Je redis une fois encore, je l'ai écrit dans mes deux livres, répété dans les films, les émissions télévisées et les conférences : « Ne venez pas dans un groupe chercher un enseignement religieux, venez apporter un peu de votre temps, de vos prières si vous êtes croyant, de votre compassion pour ceux qui souffrent, votre fraternité et votre sourire. »

Le groupe permet à chacun de participer directement, sur le tas, à un partage ; d'offrir une main tendue, une aide morale et spirituelle, parfois matérielle, à l'être en détresse. Mais c'est aussi un lieu de rencontre, de fusion avec les forces divines, avec ceux que j'ai appelés les « médecins du Ciel », un endroit riche d'amour que nous créons par nos pensées positives, notre volonté de guérir et notre foi profonde.

Pendant qu'on fait silence, une colonne de lumière s'élève, lumière créée par nos prières et notre ferveur, lumière qui guérit les corps et les âmes. Le groupe peut être aussi une famille qui nous ramène à la grande loi fondamentale d'amour : aimer pour aimer, gratuitement ; si l'un d'entre nous est dans la peine, il peut compter sur l'autre. Bien que nos buts, nos travaux soient des plus sérieux, une grande joie règne entre nous tous : la spiritualité est gaie. Cette joie éclate à la moindre occasion, un repas pris entre amis, un petit voyage, ou les rencontres des fêtes de l'amitié dont je parlerai plus loin.

Des malades peuvent venir un temps avec nous et repartir... Il est bien rare qu'ils n'emportent avec eux la promesse d'un changement dans leur attitude face à la vie ; ils ont rencontré des amis inconnus qui ne leur ont rien demandé, ni leur nom, ni leur statut social, ni leur religion ou leur engagement, ni de l'argent. Mais ils les ont accompagnés avec leur cœur et leur âme, le temps d'effacer leur chagrin et de combler leur manque. Il existe maintenant cinq groupes à Grenoble, les divisions sont toujours une déchirure ; bien des larmes ont coulé parfois, mais nous sommes devenus si nombreux que le groupe aurait dépassé toutes règles de sécurité. Plus il y a de groupes, plus grand est le nombre de malades que nous pouvons assister.

Avec les années les groupes se sont constitués dans plusieurs grandes villes de France : Paris, Lyon, Bordeaux, Montpellier, Toulouse, Perpignan, Toulon, etc. Nous avons dû dernièrement demander à toutes ces associations de se servir du nom « Groupe Maguy Lebrun » pour éviter les dérapages.

Actuellement une grande chaîne se crée autour de la terre, au-delà de notre idéal commun qui nous engage au quotidien à briser les chaînes de la routine, de l'égoïsme et du racisme, un élan de solidarité prend jour. Nous pouvons, par exemple, échanger des étudiants de famille à famille pour les langues. Certains jeunes grâce à d'autres groupes ont pu trouver du travail, un logement, une famille temporaire. J'espère bien que la « chaîne de services » va continuer à grandir.

Tous les soirs à 20 h 30 nous communions dans une même prière et une même pensée pour nos malades, nos mourants et la paix dans le monde. Notre plus grande richesse est notre liberté de pensée et d'action, notre libre arbitre, dans le respect de l'autre, celui qui vient à nous. Nous ne sommes pas parfaits ; comme tous les hommes, nous avons nos problèmes et nos épreuves, nous essayons de les aborder avec courage et peut-être un autre regard que celui de la soumission à la fatalité.

Beaucoup de gens retrouvent la foi de leur enfance, la réconciliation et l'espérance, en nous rencontrant. Je suis toujours bouleversée par les témoignages que je reçois tous les jours. Jane m'écrit : « Après tant de souffrances, tant d'angoisses, le premier contact avec le groupe m'a fait comprendre que je n'étais plus seule ; un changement s'est produit, j'ai envie de me battre. » Mots simples... mais porteurs d'une grande espérance.

Bernard n'avait plus aucune volonté ; à l'hôpital, un jour il réalise qu'il ne marchera peut-être plus jamais, un désespoir profond s'empare de lui ; une jeune femme va le voir et lui offre *L'amour en partage*. Elle lui explique le travail des groupes, il reprend confiance et se dit que, s'il n'a plus ses jambes pour le porter, il lui reste tant d'autres possibilités ! Sa vie, don du ciel, n'était pas totalement gâchée, il a refusé l'échec, rejeté la peur, il a voulu se battre pour une cause qu'il croyait perdue... Sa

123

volonté, les soins médicaux bien sûr, la prière, l'amour qui l'ont entouré ont fait que Bernard a retrouvé l'usage de ses jambes, mais a pu aussi guérir les blessures de sa vie et prendre fermement une autre direction.

L'histoire d'Ève illustre bien la rencontre de « Madame pas de chance » avec la force que peut donner la joie retrouvée.

Quand j'ai rencontré Ève, elle vivait dans un bourg de montagne. Son air triste, ses yeux rouges m'ont émue, cette belle jeune femme portait le désespoir, la détresse du monde en son âme. Elle était si démunie, si fragile... que lui était-il arrivé ? Elle venait de perdre son enfant tué dans un accident.

Avec les années, nous sommes devenues amies ; elle m'a raconté son histoire. À vingt ans, Ève a quitté sa famille, cocon douillet, fermé, où elle étouffait. Ses parents étaient très autoritaires, les filles devaient marcher au pas et obéir.

Dès le premier garçon amoureux d'elle, elle fuit. Un mariage hâtif entre deux témoins, l'entrée dans une vie de paysans montagnards. Elle n'a jamais regretté sa décision. Le climat était rude pour la fille de la ville, la mentalité montagnarde peu accueillante pour la « nouvelle venue ». Mais le pire, la première année, fut de vivre chez ses beaux-parents, qui n'avaient que mépris pour cette intellectuelle à leur charge, qui devint très vite leur bonne à tout faire.

À la naissance du premier garçon, enfin, une immense bouffée de bonheur pour Ève, maman d'un beau bébé. Son mari trouve un travail, un logement, au bourg voisin. Et les voilà chez eux ; ils ont tout pour être heureux. Le travail est très dur, le deuxième enfant s'annonce, le mari sort souvent le soir retrouver les copains, jouer aux cartes, boire un coup.

L'année est difficile pour cette toute petite bonne femme coincée entre le travail, le mari, le bébé. Le deuxième bébé est arrivé une heure après la fermeture du magasin, le temps, pour Ève, d'arriver seule à la clinique.

Où étaient la bonne entente, la compréhension des débuts ? Où était ce mari absent qui n'avait pas le temps d'être un père ?

Heureusement la rencontre d'un prêtre dans une commune voisine lui permit un réel contact humain. Elle passait des heures avec lui. Ils parlaient de philosophie, de médecine, de la vie, de religion. Ce père, véritable envoyé du ciel sur la route d'Ève, l'avait soignée d'un ulcère stomacal douloureux par imposition des mains et homéopathie.

Il lui enseignait Dieu, l'aidait à supporter sa pauvre vie : « Dieu est là, disait-il. Tu n'es jamais seule, Il te guide. » Que de confidences ! Que de larmes versées auprès de ce bon père ! Grâce à lui, a lieu la réconciliation d'Ève avec ses parents.

La famille lui gardait ses enfants l'été, car le travail était très dur, très fatigant. Il fallait rembourser les dettes, jamais de vacances, etc.

Les hivers étaient pires, à cause de l'inconfort. Elle avait si froid ! Certains jours elle souffrait d'engelures des mains, très douloureuses.

Elle avait toujours peur pour la santé des enfants qui, eux, se portaient admirablement bien. Avec les années, son mari criait beaucoup, se montrait violent avec les garçons, puis, hélas, avec sa femme... !

L'aîné était très près d'Ève, le second plus indépendant. Les enfants n'acceptaient pas la passivité

125

de leur mère, se révoltaient souvent, sortaient de plus en plus en grandissant.

Et le pire arriva, l'accident idiot, bête comme tous les accidents, les moments pleins d'horreur, de vide. « Ce n'est pas vrai, pas lui ! »

La détresse sans nom des parents, leur révolte. Ève était seule, il n'y avait plus rien au monde, plus de soleil, tout était noir. La vie n'avait plus aucun sens, son enfant, son confident, son trésor, était parti ; elle se mura dans le silence.

Le travail obligatoire la sauva peut-être du pire, mais elle pleurait sans cesse, avait peur de devenir folle. C'est à ce moment-là que nous nous sommes connues. Nous l'avons prise dans un groupe d'accompagnement ; elle a trouvé là la véritable amitié dont elle avait tant besoin...

Petit à petit avec les rencontres, les soins spirituels, la fraternité, la paix, l'espérance entrèrent en elle. Son mari, hélas, s'éloignait de plus en plus ; elle ne voyait pas le chagrin du petit frère qui échappait à cette ambiance en sortant souvent, en fait pour fuir son abandon et son chagrin. Après le service militaire de ce fils, elle réalisa qu'elle était seule.

Plus rien, plus personne ne la retenait, n'avait besoin d'elle, alors elle partit. Elle quitta tout, elle se réfugia quelques jours chez nous, Daniel et moi nous lui réapprenions à manger, à vivre, elle se sentait en sécurité. Une terrible scène opposa un jour Ève à son mari ; il voulut la tuer, elle l'avait abandonné, elle ne travaillait plus... pour lui.

Après avoir vécu quelque temps avec un ami retrouvé, qui lui donna un peu d'équilibre et de confiance en elle, elle trouva enfin du travail, ce qui lui permit une liberté de vie qu'elle n'avait jamais connue.

La reprise a été dure ; périodes de brouillard et périodes d'espoir se sont succédé longtemps. Elle priait beaucoup, parlait à son fils disparu, venait régulièrement aux réunions de groupe. Parfois l'idée de rejoindre son enfant la traversait. « Et si je sautais du pont où je passe chaque jour ! » Mais la foi, l'aide d'amis toujours à l'écoute, son deuxième enfant, étaient là... Elle rencontrait aussi plus malheureux qu'elle. Elle apprit à regarder autour d'elle, à aider les autres pour oublier un peu. Le besoin de vivre fut le plus fort.

Aujourd'hui Ève est grand-mère, elle s'occupe beaucoup de ses petits-enfants, sa petite-fille l'appelle « super mamie », et il est vrai qu'elle est très jeune !

Elle s'occupe aussi d'autres mamans qui ont perdu leur enfant. Son désespoir transcendé lui permet de comprendre l'autre, celui et celle qui sont passés par ce chemin de douleur ; elle sait les écouter des heures durant, au téléphone, ou directement pour partager avec eux cette si fragile joie de vivre, ce cadeau divin qu'est la certitude de retrouver un jour, demain, ceux qui nous ont quittés. La joie des retrouvailles de tous ceux qui s'aiment.

Quelle que soit la situation de détresse, un groupe peut aider à retrouver la joie de vivre. On me demande parfois : « Quelles forces détenez-vous ? D'où viennent-elles ? » Ce sont des énergies qui viennent d'un monde divin, peut-être difficile à imaginer. Nous créons nous-même des énergies puissantes par notre prière, notre foi, nos pensées positives ; notre volonté de guérir le malade qui fait appel à nous repose sur une vocation humanitaire, dans le respect de l'intégrité de l'être souffrant.

Pendant toutes ces années où j'ai reçu et reçois encore un enseignement moral et spirituel des anges de lumière, je me suis efforcée de « grandir un peu » en sagesse, et d'en donner l'exemple.

Dans nos groupes d'accompagnement nous avons une vraie volonté d'altruisme et, grâce à cette pratique qui place l'autre au centre de tout, insensiblement nous accédons à une mutation de l'âme, un état d'esprit particulier, fait de plus de tolérance, d'ouverture et d'exigence.

Exigence vis-à-vis de nous-même, exigence vis-à-vis de l'autre. Ce sont peut-être ces expériences « sur le tas », qui nous donnent des clés pour nous conduire vers plus de sagesse. Nous acceptons mieux nos épreuves, elles sont moins lourdes, portées par tous ; l'évolution de chacun de nous élève l'évolution vibratoire du groupe. Celui-ci devient un centre de soins spirituels, où la manne que nous offrons par notre présence, notre fidélité et notre prière, est transcendée par nos médecins du Ciel et retombe en onde de guérison sur nos malades.

Les pièges, bien sûr, sont nombreux mais l'amour, les offrandes multiples, les mains tendues, sont les chemins de lumière qui nous relient au but, à la finalité : aider à la guérison de la souffrance sans aucune contrepartie.

Je me souviens de ce scientifique très cartésien envoyé par son médecin, avec la complicité de son épouse ; il était très malade et il a accepté de venir au groupe « pour leur faire plaisir », pendant des mois il est resté sur ses gardes, cherchant la faille : Quel est le véritable but que poursuivent tous ces gens ? Religieux ? Politique ? Intérêts ? Bien sûr la méfiance est tombée avec le temps et surtout avec sa guérison. C'est peut-être là que réside le miracle de l'amour, il n'est pas besoin de croire pour guérir.

LA RÉACTION DES MÉDECINS

« Je le pansai, Dieu le guérit » (Ambroise Paré).

Le corps médical dans l'ensemble a bien accueilli les groupes d'accompagnement, du moins les groupes qui ont accepté et suivi un certain règlement, dont le premier est de respecter le traitement médical d'un malade.

Beaucoup de médecins sont engagés moralement dans les associations d'aide, c'est un acte d'humilité et d'altruisme de leur part et leur présence est sécurisante pour les malades.

Les soins médicaux et les soins spirituels sont complémentaires ; le médecin n'a pas toujours le temps, dans son cabinet, de dialoguer longuement avec son patient, d'autre part beaucoup de thérapeutes croient en Dieu, en leur art ou tout simplement en la spiritualité et au psychisme de l'homme. L'étiquette « psychosomatique » trop souvent utilisée, à leur gré, peut cacher un diagnostic incertain ou un traitement mal ajusté, mais il est certain qu'elle peut culpabiliser le malade.

Les guérisons extraordinaires de maladies graves posent question ; un choc spirituel très fort est parfois une première marche vers cette guérison. Nous savons tous combien le moral importe chez celui qui souffre, d'où, ces dernières années, l'apparition de diverses techniques de relaxation et de visualisations positives. Si vous ajoutez la puissance de ces énergies que sont les ondes de guérison spirituelles, celles qui ne s'apprennent nulle part, mais qu'acquiert le guérisseur spirituel, véritable instrument du Ciel, le malade augmente ses chances de surmonter la maladie. Je connais de nombreux médecins français et étrangers qui m'ont contactée avec cette soif de savoir, de comprendre, de vouloir développer davantage leurs connaissances ; ces hommes ont parfois vécu certaines expériences sans trop en comprendre les causes, mais elles ont ébranlé leur matérialisme. Ils ont alors ouvert les yeux sur une autre dimension et deviennent d'excellents thérapeutes, sachant faire la part du physique, du temporel et du spirituel.

Beaucoup assistent à nos groupes de travail, anonymement ; recueillis, ils prient avec nous, mettent leurs mains dans les nôtres. Certains ont de lourdes responsabilités hospitalières. Ils ne passeront plus dans leur service, devant une porte, sans s'arrêter ; de nombreux médecins ont une vocation spirituelle, sinon ils ne se déplaceraient pas parfois de fort loin, sans ce désir de savoir, de voir, de comprendre, pour mieux soigner.

Ils acceptent tout à fait d'amener leurs malades dans les groupes auxquels ils participent, ou de créer de petites associations d'aide autour des patients, tenant compte des énergies qui nous entourent, se recueillant quelques instants avant de rédiger une ordonnance, demandant aux médecins du Ciel de les assister.

Chers amis médecins qui lisez ces lignes, soyez à l'écoute de l'invisible, vous savez que toutes choses ne sont pas démontrables scientifiquement ; il me semble que la loi cartésienne n'est pas toujours adaptée à notre époque.

Un médecin de mes amis a reçu beaucoup de « dons » ; grisé par une aide très forte du Ciel, il n'a pas su conserver cette manne céleste pour diverses raisons... Sa chute familiale et professionnelle m'a profondément attristée, mais à chacun sa route, nous sommes tous libres de nos actes.

Celui qui répond à l'attente angoissée de son malade, ne serait-ce que par une écoute même brève, un sourire, un peu de gentillesse, a déjà commencé l'œuvre de guérison. Une émission télévisée sur les « miracles » à laquelle je participais m'a placée dans le camp de ceux qui croyaient aux guérisons à Lourdes ; en face de nous, des médecins dits « matérialistes ». À la fin de l'émission l'un d'eux m'a dit : « Vous auriez dû être au centre, moitié d'un côté, moitié de l'autre. » Rien ne peut me combler davantage. Que l'homme soit soigné dans sa totalité, c'est l'idéal. Le médecin et le vrai thérapeute ne peut séparer l'âme du corps. Les médecins ne rejettent pas les guérisseurs qui travaillent honnêtement, mais luttent avec raison contre les charlatans. Et parfois ce sont les médecins eux-mêmes qui sont des charlatans, pire, des criminels (on se souvient des souffrances infligées aux malades contaminés par transfusion sanguine). Mais ceux-là, après la justice de la terre, connaîtront la justice du Ciel.

Un médecin m'écrit que notre façon de travailler dans les groupes a fait changer complètement son approche des malades, des soins, de l'écoute, de la guérison, donc de la vie et de la mort.

La guérison spirituelle n'est pas une prise de pouvoir, mais la possibilité et le moyen de donner au patient le déclic pour l'aider à trouver en lui des forces de guérison. Beaucoup de médecins ont réalisé qu'en plus de leur art ils peuvent devenir un canal d'énergie cosmique. Certains ont compris qu'il ne peut y avoir de guérison physique sans guérison spirituelle ; mais le temps dans leur cabinet est limité, d'où l'importance d'une collaboration médecins-guérisseurs, quelquefois parachevée par le groupe, où le malade apprend la force de la prière, l'immense respect qu'elle impose et la responsabilité de ses choix, de ses demandes. Tous ne sont pas toujours prêts à recevoir la paix et la guérison... il leur faut faire un certain chemin, il faut beaucoup d'humilité au médecin, au guérisseur, au groupe, pour comprendre cette évidence.

La prise de conscience des médecins confrontés quotidiennement à la douleur physique et morale est souvent unanime ; soigner c'est d'abord regarder et écouter avec compassion. Les conseils, les ordonnances et les médicaments suivent ; les thérapies fondées sur la confiance sont bien mieux tolérées, tous le savent. Mais les médecins ont-ils toujours le temps ? Je suis surprise par le nombre de ceux qui viennent me voir, parfois de très loin, comme l'a fait Raya.

Raya est iranienne, musulmane et médecin. Nous nous sommes rencontrées par hasard (ce hasard qui fait si bien les choses !), grâce à mon premier livre ; beaucoup de médecins offrent et conseillent ce livre à des familles qui ont perdu un être cher.

Avant d'offrir *Médecins du Ciel, médecins de la Terre* à une mère terrassée par la perte de son enfant, elle a voulu le lire. Elle m'a dit que la sensation magnifique et intense de cette lecture l'a obligée à une rencontre. Elle est venue à notre journée d'amitié à Grenoble. Raya a compris la simplicité, la gentillesse, la modestie des participants des groupes, qui sont un canal invisible au service des autres. Raya pense que nous sommes des professeurs de spiritualité, par notre comportement actif et silencieux ; elle vient de passer sa thèse de chercheur en cancérologie et fait partie d'un de nos groupes, car, dit-elle, « nous sommes composés d'un corps physique, mais aussi d'une âme ; nous fonctionnons donc selon des lois biologiques, mais aussi selon des lois divines ».

Un chercheur en biologie sait que la science, aussi performante soit-elle, ne donne pas accès à la réalité tout entière, bien des mystères existent encore dans ce domaine. Pour le malade croyant, dans toutes les religions, la prière est un acte vital qui relie l'homme à sa source et peut l'aider à guérir.

L'énergie spirituelle peut se trouver dans l'amour, dans notre cœur et dans le silence de la prière. Les individus sont reliés à la « centrale » d'amour universel, celle-ci agit quand on se branche sur elle, car c'est une force positive et constructive. Si des médecins comme Raya et d'autres en prennent conscience et « branchent » leurs malades, quelle merveille ! Ils deviennent, en plus de leur art, des acteurs de premier plan qui ne se contentent pas de « savoir » mais de « faire » et de participer.

Raya m'a envoyé ce message :

« Maguy, si en tant qu'être humain, iranienne, musulmane, je peux dire qu'importent les nationalités et les religions, si nous, médecins, nous faisons notre travail avec amour, si nous aidons au mieux un malade, l'essentiel est d'apporter un peu de bonheur à chacun ; ce qui nous freine, comme beaucoup d'hommes et de femmes, c'est notre soif de pouvoir, notre orgueil, notre égoïsme et notre ambition. La vie sur terre n'est qu'un passage, semons des fleurs sur ce passage. »

Ce témoignage d'un médecin hospitalier est très réconfortant, il montre qu'un trésor peut habiter le cœur de ceux qui nous soignent.

Les médecins, en général, refusent toute collaboration avec les guérisseurs, mais ils sont souvent confrontés aux escrocs, aux illuminés, aux ignorants ; les dérapages de toutes sortes peuvent non seulement ruiner de pauvres gens trop crédules, mais aussi mettre en danger leur santé et leur vie.

En période de chômage, il est terrible de rencontrer de très nombreuses personnes qui veulent faire « de la guérison spirituelle » sans la moindre formation. Il est grave, très grave de prendre en charge un être humain et son état de santé. La plupart n'ont pas la moindre notion de cette redoutable responsabilité. Il y a les « désenvoûteurs » : « Contre une grosse somme d'argent, je guéris votre fils envoûté. Il guérira ensuite... »

Il y a les illuminés : « J'ai reçu un message de l'au-delà, " on " me dit que j'ai un don, que je peux aider les autres. »

Il y a les manipulateurs, ceux qui donnent des cours, organisent des séminaires pour « apprendre » aux « élèves dociles » un métier qu'ils ne pourront pas exercer.

Il y a ceux à qui un voyant ou un guérisseur découvre un don, pour mieux les garder sous tutelle, en prétendant les aider à se développer.

Dernièrement une enseignante près de la retraite me téléphone pour me demander conseil : « On vient de lui découvrir un " don ", elle veut traiter ses semblables... ! » Je prends le temps de bien lui expliquer que, de même que tout le monde est capable de chantonner, tout le monde possède un peu de magnétisme mais on ne peut commencer une carrière à plus de cinquante ans ; nous chantons tous, mais nous ne sommes pas pour cela des chanteurs professionnels. Devant son ignorance, je lui parle des dangers, des transferts vibratoires qui peuvent rendre malades les faux guérisseurs imprudents ; tous les vrais thérapeutes le savent.

Hélas ! Cette brave dame n'a rien compris et m'a écrit en me demandant pourquoi je l'avais menacée de maladies imaginaires !

Dans ces conditions, comment reconnaître un bon guérisseur d'un charlatan ? En France, la difficulté vient de la non-reconnaissance des médecines parallèles. Si le ministère des Finances nous reconnaît, le ministère de la Santé publique nous poursuit, c'est un non-sens et un scandale ; un scandale car, tant qu'une loi ne protégera pas cette profession, les malades ne seront pas protégés non plus.

Depuis que le monde est monde, des milliers de patients consultent des guérisseurs et, croyez-moi, pas seulement des êtres débiles, mais des malades appartenant à toutes les classes de la société. Il faut donc absolument mettre un terme aux abus.

Pour ce faire, un groupement se bat aujourd'hui : le G.N.O.M.A. (Groupement national pour l'organisation des médecines alternatives). Mais il y a là aussi des dérapages ; malgré bien des « épurations », il se trouve encore des guérisseurs qui osent faire arrêter un traitement médical, vendre des produits alimentaires ou autres (dits « énergétiques »), donner de l'homéopathie à leurs patients. Ils sont exclus du G.N.O.M.A. dès qu'ils sont repérés. Dans une émission télévisée, j'ai appris qu'il existait une école de guérisseurs. Je m'élève avec force contre ces abus.

Que ceux qui désirent étudier le fassent avec de vraies écoles d'enseignement ! S'ils ne peuvent faire leur médecine, qu'ils passent des diplômes d'infirmiers ou autres. Bien sûr, les vrais guérisseurs qui ont des dons de naissance acceptent de n'être que des auxiliaires médicaux, connaissent leurs limites et font du bon travail ; ceux-ci devraient être protégés.

En 1949, le docteur Charles Claoue, chirurgien, président du C.E.B.E.M. (Centre d'études biologiques et médicales), décida avec Charles de Saint-Savin, magnétiseur, de regrouper les guérisseurs de France. Le Groupement national pour l'organisation de la médecine auxiliaire a été créé en 1950 et déclaré association loi de 1901 à la préfecture de police de Paris, le 27 décembre 1951. Il est devenu le Groupement national pour l'organisation des médecines alternatives (G.N.O.M.A.), le 8 octobre 1993.

Le G.N.O.M.A. s'est donné pour but :

— De faire accepter ou tolérer par les pouvoirs publics un statut de l'exercice d'une médecine auxiliaire et une adaptation en ce sens du code de la Santé publique en harmonisant la législation avec celle des autres pays européens.

— De soumettre aux autorités habilitées les moyens de mieux prévenir, soulager, voire guérir la souffrance. Son attention se porte spécialement sur les thérapeutiques naturelles (le magnétisme, le reboutement, les soins par les plantes), dont il demande le libre exercice, le droit de soigner ne devant pas apparaître comme un privilège exclusif.

— D'assurer la représentation et les intérêts professionnels desdits praticiens auprès des pouvoirs publics, des instances nationales et européennes, ainsi que des pays tiers.

— D'assurer la liaison entre tous les adhérents pour faire prévaloir la politique définie par l'assemblée générale, de permettre au malade de choisir lui-même librement tout mode de traitement thérapeutique qu'il souhaite et d'avoir totale liberté dans le choix de son praticien.

— De diffuser à tous les adhérents les résultats des recherches, les enseignements qui s'en dégagent en vue d'améliorer le service donné aux malades, lesquels adhérents s'engagent moralement à informer l'association de leurs résultats, de leurs recherches ou de l'amélioration apportée aux soins en général.

— La zone d'activités du Groupement national pour l'organisation des médecines alternatives s'étend aux départements métropolitains et d'outre-mer et, d'une manière générale, aux pays européens, aux pays francophones et à tous les ressortissants requérant ses services.

Le G.N.O.M.A. écrit qu'il bénéficie du soutien moral de personnalités médicales et scientifiques qui connaissent le sérieux de ses adhérents et leur apportent, par leurs conférences, l'enseignement et les résultats de leurs expériences personnelles.

Le G.N.O.M.A. entreprend des démarches pour que l'activité de ses adhérents devienne une profession reconnue et contrôlée.

Par l'intermédiaire de sa revue, de ses congrès, de son service télématique, le G.N.O.M.A. contribue à informer le plus largement possible le public sur sa philosophie et les méthodes de soins de ses adhérents.

Si ce groupement, ce que j'espère, est enfin toléré, les malades sauront au moins où s'adresser, tout en continuant, bien entendu, le traitement médical et hospitalier nécessaire.

La fausse humilité est égale à la vanité qui sommeille en l'homme : « Je désire aider mes semblables ! » Très, très souvent, j'entends cette phrase ; il y a mille façons d'aider autour de soi, il faut regarder les actes de sa vie, bien réaliser où nous sommes, qui nous sommes, de quoi nous sommes capables.

Les médecins du Ciel n'aideront jamais celui qui n'a pas passé les portes dont je parle si souvent : la porte de l'amour, l'amour réalisé dans sa famille, dans son travail, un acte d'amour chaque jour là où nous sommes.

La porte du dépouillement : savoir donner s'il le faut de son nécessaire.

La porte de la tolérance : essayer de comprendre les différences ; cette tolérance qui nous conduit à la sagesse.

Au cours de ma longue carrière, j'ai vu trop souvent mourir des malades traités trop tard pour des maladies très graves. Je pense, par exemple, à cette jeune femme « soignée » pour un eczéma qui était un cancer... Malheureusement ce sont les « aspirants guérisseurs » les plus ignorants, ne voyant pas et ne comprenant pas la responsabilité de leurs actes, qui s'accrochent le plus à « leur rêve », quel que soit leur âge.

Dans ce domaine comme dans celui de l'ésotérisme, nous côtoyons le pire et le meilleur ; le phénomène psychiatrique peut ressembler au phénomène spirituel. La frontière est étroite et le monde, hélas, est crédule... !

La vraie spiritualité offre des moments ineffables ; si je devais résumer à l'extrême, je dirais que la spiritualité nous donne la joie, le bonheur du partage et la liberté.

— La joie, parce que la croyance en l'immortalité nous guérit de la peur de la mort.

— Le bonheur du partage, parce que nous recevons au centuple ce que nous donnons.

— La liberté, parce que la foi nous délivre de toute contrainte morale, en nous laissant vivre dans le respect de nous-même et des autres.

Il arrive parfois, au cours d'une vie, une aventure extraordinaire, une expérience si forte, riche de tant d'espérance, que ceux qui l'ont vécue ne l'oublient jamais. L'adolescence peut faciliter ce genre de chose ; la transformation physique, le passage de l'enfance à l'âge adulte peuvent fragiliser un état d'hypersensibilité. Quel est celui d'entre nous qui n'a pas un souvenir tendre et émouvant de cette période, enfoui dans son cœur, comme un trésor précieux !

J'ai aimé ce témoignage de Laurence, ayant cru absolument en ce récit puéril et si profond, porteur d'immortalité ; des fils d'or invisibles relient le ciel à la terre.

Ce sont les vacances de Pâques, la famille de Laurence, comme chaque année, se retrouve dans la grande maison provençale, l'endroit, reculé, où il fait si bon vivre est un peu magique.

Les cousins et cousines peuvent courir à perdre haleine ou rêver, dans cette joie de vivre profonde, des retrouvailles, de la liberté. Les jours commencent à rallonger, bientôt l'été ! Qu'il fait bon en respirer les premières bouffées !

Laurence a treize ans, Marie dix-sept, Mathieu quatorze. Les bêtises, l'insouciance du moment, font oublier la crise d'adolescence. Même les enfants heureux ne sont pas toujours d'accord avec leurs parents, « trop stupides » pour les comprendre. Comme il est bon de refaire le monde !

Les trois complices, inséparables, partent souvent dans cette colline sauvage face à la maison, partager leurs rires et leurs secrets. La colline, un peu sablonneuse, est coiffée de pins, vêtue de taillis. Laurence l'a toujours connue, quelle que soit la saison, un peu ventée, avec cette brise qui chante doucement dans les pins, comme une berceuse reposante.

Souvent, la nuit, la féerie augmente grâce à la lune. Cette lune si attirante que les adolescents ne résistent pas, sac de couchage sous le bras, au plaisir d'aller dormir tous les trois sur la colline !

Mais... ce soir-là, Laurence et Mathieu vont vivre une expérience qui va changer toute leur vie. Pour bien comprendre l'atmosphère psychologique du moment, il faut se replacer dans le contexte. Marie préparait son bac C, mais elle n'était pas très studieuse. D'où de fréquentes frictions avec sa famille.

La journée avait été un peu « orageuse », la fuite sur la colline, remède souverain, tombait bien. À cet âge, la sensibilité est un peu exacerbée, mais les colères ne durent guère. Le fou rire revient rapidement.

Après maints essais, les duvets sont finalement installés dans un endroit élevé et bien dégagé. Le plus confortablement possible, pour bien observer la lune. Sitôt allongée, Marie s'endort profondément, Mathieu et Laurence bavardent, impossible de dormir, la nuit est si claire !

Quel dommage que Marie se soit si vite endormie, c'est si beau !

Au bout d'un moment, Marie parle dans son sommeil, répète des phrases ; ses cousins pensent à un jeu ; longtemps la plaisanterie continue.

Mais un petit malaise s'installe, le jeu dure trop longtemps. Il faut la réveiller, la faire taire. Marie est chatouilleuse, sa cousine s'acharne sur ses côtes, le bout du pied, lui tire les cheveux. Aucune réaction, Marie, inerte, dort profondément. Tout à coup, elle commence à glisser sur la pente, elle est rattrapée, tirée, remise en place, son inertie est impressionnante à voir.

Il est 3 heures du matin, Marie tend la main, dit d'une voix très forte : « Attends-moi ! Attends-moi ! » Partagés entre le rire et la colère, ils se demandent si elle ne se moque pas d'eux ? Ses cousins observent : quelque chose d'étrange, d'inattendu se passe.

Marie, toujours endormie, parle, répond à des questions. Laurence prise d'une inspiration interroge :

L. — Marie, que vois-tu ?

M. — Je vois Marc.

L. — Marc ? Quel Marc ?

M. — Marc M... (jeune homme mort très récemment). Il est heureux, il dit que c'est injuste pour les gens de la terre. Sa mort est son plus beau cadeau.

L. — Comment est-il ?

M. — Il est beau... mais il n'a plus de physique... je vois sa tête... il a une casquette, non, c'est un képi... Il a une photo... c'est sa femme... elle est très belle... Il va parfois chez sa femme, chez sa mère, mais elles ne le savent pas !... C'est un secret.

L. — Mais qui t'envoie là-bas ?

M. — Jean (un frère de Marie, bien vivant, ami de Marc). Il ne faut pas le dire !

L. — Peut-on aller dans ce monde nous aussi ?

M. — Peut-être par l'intermédiaire de quelqu'un.

L. — Qui vois-tu d'autre ?

M. — Oui... Thierry, il est très heureux, il va souvent chez sa maman et sa sœur (il ne faut pas le dire)... Thierry a été tué dans un accident de voiture.

L. — Qui encore ?

M. — Pépé, il attend mémé avec impatience, mais il est heureux lui aussi.

L. — Qui encore ?

M. — Un chanteur, il me sourit. Des gens morts à la guerre, ils rient, ils rient ! Marc revient... il me dit d'oublier, tout oublier...

À ce moment-là, Marie commence à bouger, à s'agiter, elle avait des mouvements nerveux, respirait avec difficulté.

Mathieu a arrêté le dialogue. Figés, silencieux, ils regardaient Marie qui s'était endormie, immédiatement, profondément, tiraillés entre plusieurs sensations, mais tous les deux très secoués ; habités par la certitude d'avoir vécu quelque chose d'unique, qui, ils ne le savaient pas encore, allait bouleverser leur vie, leurs pensées, leur évolution. Mais aussi conscients de l'irréalité de la situation (que pourtant ils savaient vraie).

Sur l'instant, pas une minute ils n'ont pensé que cette expérience provoquerait un changement radical dans leur existence. Le silence leur était demandé, avec insistance. Dans des têtes de quinze ans, ne pas parler avait quelque chose de négatif, d'incompréhensible. Laurence a compris bien plus tard, à ses dépens. Chaque fois qu'elle a voulu narrer cette aventure, personne ne l'a crue. Elle a vécu ces réactions avec un sentiment de rejet, d'exclusion. Il est regrettable que personne ne veuille entendre et comprendre cela même qui pourrait aider à mieux vivre.

Cette expérience ne s'est pas renouvelée ; après bien des années, elle n'a pas oublié le sourire angélique illuminant le visage de Marie, qu'elle n'a jamais revue, ni le désespoir manifesté à l'instant de « quitter Marc ».

Marie s'était réveillée, fraîche et dispose, en disant tout de même :

« Oh, là, là ! J'ai l'impression d'avoir bossé mes maths toute la nuit ! »

Elle ne s'est souvenue de rien. Le lendemain, au petit déjeuner, Mathieu était pâle. Marie avait dit, dans son sommeil, que la maman de Marc tricotait un gilet bleu marine. Ils sont allés vérifier, la maman tricotait bien un gilet bleu marine. Ce n'est qu'un détail, bien sûr, mais dans leurs têtes cela représentait la preuve irréfutable qu'ils n'avaient pas rêvé.

Jamais Marie ne s'est rappelée quoi que se soit. Après le récit de ses cousins, écouté très attentivement, elle a montré une certaine agressivité à en parler.

Avec le recul du temps et l'évolution spirituelle, Laurence pense que Marie a admis cette expérience. Jamais, jamais, ce phénomène vieux d'environ vingt ans ne s'est reproduit.

Personne ne peut ironiser sur un phénomène qu'il ne connaît pas, personne n'a le droit de massacrer la pureté de ces instants ; mais personne n'a le droit de tricher en essayant d'imiter, de reproduire, à son profit, le sacré que Dieu nous offre de temps à autre, pour nous prouver que « la vie après la vie » existe.

Ces moments, hors du temps, sont des éclairs de médiumnité pour ceux qui les vivent et un cadeau divin. Mais les messages du Ciel ne se réalisent pas sur commande, Daniel qui est considéré comme un excellent instrument, un bon canal, ne peut servir que dans le calme, le silence et la prière. Il peut être contacté par un être de lumière trois fois au cours de la même semaine, et rester trois mois totalement silencieux. Le Ciel n'est pas à notre service, ce sont les hommes qui doivent être au sien.

Les expériences spirituelles authentiques sont incommunicables, elles sont la joie qui coule dans nos veines, fait battre notre cœur, elles éclairent notre âme et nous laissent éperdus de reconnaissance et d'amour envers le Créateur.

Le silence est très important. Pendant notre initiation, la première discipline imposée a été le silence, dix ans de silence total, quinze ans de silence relatif. C'est pourquoi j'ai toujours demandé le silence dans les groupes d'accompagnement.

Le silence est la plus difficile des disciplines, celle qui exige le plus d'humilité, il faut savoir faire taire son ego, ce n'est pas toujours facile.

Le silence intérieur, s'il l'obtient, est l'une des richesses de l'homme. Il ne faut pas venir dans un groupe d'accompagnement si on ne peut se tenir à cette règle.

Le silence dans notre travail est la garantie du respect de l'autre, du malade d'abord, du participant ensuite.

Chacun peut prier, dans le secret de son âme,

selon sa propre religion, dans le silence, sans gêner l'autre, sans être gêné lui-même.

Chacun peut pratiquer la visualisation (voir le malade guéri), chacun de la même façon peut projeter des pensées d'amour.

Il y a le silence extérieur. Nous fonctionnons comme une famille et chaque famille a ses petits secrets qu'elle ne va pas dévoiler sur la place publique. Nous n'avons rien à cacher, mais nous n'avons rien à divulguer.

Avec le temps, nous apprenons plus de choses sur chacun d'entre nous. Cela doit favoriser notre affection réciproque mais il n'est pas nécessaire de tout savoir pour aimer. Par rapport au monde extérieur, nous avons une obligation de silence presque comparable au secret professionnel.

Et puis il y a le silence intérieur qui n'est pas une absence, mais au contraire une plénitude, seule façon d'accéder à la profondeur de notre être et à sa richesse. C'est parfois très difficile de faire taire nos pensées. C'est pourquoi le moment de recueillement en début de séance est si important.

Il se produit en chacun de nous une sorte de dépersonnalisation apparente, car si nous sommes extérieurement et superficiellement si différents, nous sommes très semblables intérieurement, dans notre profondeur. C'est-à-dire que nous sommes UN dans notre désir d'apporter, d'aider et de servir.

Le silence nous unit dans l'amour.

Nous sommes les architectes de notre vie, je ne crois pas trop aux discours mais aux exemples. Le contact avec le Ciel, pour ceux qui ont goûté à cette grâce avec ravissement, doit changer le cours de l'existence ; la rencontre avec Dieu ou ses ambassadeurs bouleverse l'homme. Il faut savoir dénouer nos nœuds et ouvrir notre âme. La spiritualité doit porter des fruits : parmi les groupes qui ont essaimé dans le monde, des associations ont vu le jour et la plus importante est N.O.E.L.

ASSOCIATION N.O.E.L. :
« NOS ENFANTS DE LUMIÈRE »

Les feuilles jaunies sont encore sur l'arbre,
mais la feuille verte tombe.
Seigneur du ciel, entends-tu ma douleur ?
(Complainte du Viêt Nam.)

Dans *L'amour en partage,* je consacre un chapitre aux enfants de lumière, ces enfants qui ne sont pas destinés à rester sur la terre. Ils sont trop lumineux, pour notre tristesse.

Depuis la sortie du livre, une association d'aide, de rencontre, a été créée, pour tous ces parents déchirés par la plus grande des souffrances.

Aujourd'hui, l'association regroupe beaucoup de familles qui ont subi la plus grande épreuve terrestre qu'est la perte d'un enfant. La solidarité, la fraternité sont un léger rayon de soleil dans cette nuit.

Le docteur Yves Wailles, de Grenoble, a perdu sa fille de dix-huit ans, puis sa femme, morte d'une grave maladie dont l'origine était peut-être une souffrance trop lourde pour son cœur de maman. Yves est le dévoué président de N.O.E.L.

Comme tous ces parents douloureux, il passe par des phases de désespoir et d'espérance, bien connues de tous. Un dimanche, il arrive à Champier totalement désespéré.

« Je suis dans le trou... J'ai besoin de parler », me dit-il.

Mais... une trentaine de personnes venaient d'arriver chez moi.

Tout l'été, de plus en plus nombreux, des visiteurs du monde entier défilent à la maison. Il m'était, ce jour-là, impossible de m'occuper de tous ces visiteurs, il y avait plusieurs parents ayant perdu très récemment un enfant. Je les confie à Yves, qui oublie pendant quelques heures son chagrin pour panser le chagrin de l'autre. Ainsi, voyez-vous, c'est en donnant que l'on reçoit...

Le soir venu, je me suis excusée auprès de mon ami de l'avoir en quelque sorte « laissé tomber ! ». Mais il me répond, un sourire dans le regard :

« J'ai oublié mon chagrin en m'occupant du leur. Merci ! »

Quelle bonne thérapie !

Le docteur Wailles est entouré d'une équipe de parents qui ont perdu leur enfant. Ils essaient de dépasser leur souffrance, en rencontrant d'autres parents qui ont connu la même déchirure.

Cette association s'appelle « Nos enfants de lumière » dont le sigle est N.O.E.L., elle rassemble, dans la tolérance, des personnes d'horizons sociaux, philosophiques, religieux différents.

Les statuts de cette association affirment la croyance en la survie après la mort ; les réunions permettent de se connaître et de s'épauler. Il est important de pouvoir échanger les réactions de tous face à la détresse, dans des rencontres toutes simples.

Grâce à ces rencontres on peut sortir de l'isolement, du repli sur soi-même, par la compréhension et l'écoute. Le soutien des parents gravement perturbés est assuré à leur demande.

L'écoute peut se faire par téléphone ; une permanence est ouverte le soir pour les rencontres plus intimes, où deux ou trois membres reçoivent un parent en crise d'angoisse, le temps d'un cœur à cœur, sans masque, dans un partage profond.

Il est impossible d'exprimer cet immense désespoir mais souvent, parce qu'on me connaît davantage, on passe par moi avant d'être pris en charge par l'association. Il est impossible de décrire la révolte des parents en deuil :

« Pourquoi ? Pourquoi ce malheur ? Je ne peux plus vivre sans lui. Le vide est énorme. Je veux mourir... »

La culpabilité : « Je n'ai pas su lui dire à quel point je l'aimais. »

L'espérance : « Maguy, j'ai lu votre livre, une espérance s'est levée en moi. Notre enfant est dans la paix. Mon cœur saigne, mais je sais qu'il est vivant. »

Les parents en détresse arrivent parfois chez moi de fort loin, comme Dany.

Il était 10 heures du matin, la sonnette insiste, j'ouvre ma porte à une étrangère, hagarde, très pâle, qui ne peut parler, la voix coupée par les sanglots. Très vite je réalise que l'état physique n'est guère plus reluisant que le moral.

Elle n'avait pas mangé depuis deux jours. Après l'avoir obligée à avaler un peu de nourriture, une boisson chaude, nous avons parlé... longuement.

Son enfant venait d'être tué dans un accident, son autre enfant, sa fille, se droguait, plus rien ne l'attachait à la vie, son mari était aussi désespéré qu'elle. Le naufrage d'une famille, qui n'a plus de repères, plus d'espérance. Je l'ai écoutée pendant des heures. Comment trouver des mots de consolation ? Les mots sont si pauvres ! Le cœur, l'âme de la mère étaient brisés. Le corps ne voulait, ne pouvait plus suivre.

Avec le temps... l'aide des groupes d'accompagnement, qui les ont reçus, elle et son mari, avec amour et fraternité, la révolte, la souffrance, peu à peu, ont laissé la place à l'espérance.

Quelques années ont passé. J'ai reçu cette lettre que je traduis intégralement :

Octobre, quelque part en Europe
Chère Maguy, cher Daniel,

Je me suis trouvée devant votre porte un jour de grande détresse. Je ne voyais plus le ciel bleu ni les fleurs inondées de soleil, je n'entendais plus le chant des oiseaux. Tout était noir et me semblait sans issue.

Bien plus tard, j'ai compris que le ciel avait guidé mes pas jusqu'à vous. Vous m'avez ouvert votre porte toute grande.

Ce soir, j'aimerais témoigner du chemin parcouru depuis ce jour-là et vous remercier de tout cœur pour votre aide, votre amour et votre amitié.

Je pense également avec émotion à Françoise, Hugo et Catherine, Mamita et à toutes les personnes à Grenoble qui m'ont accueillie comme une amie.

Toi, chère Maguy, tu m'as indiqué le chemin, le message est passé. Tu m'as aidée à être plus forte dans les moments de grandes angoisses. Tu as su apaiser mes tourments. Tu m'as appris à vivre avec cette nouvelle épreuve.

Et tu m'as fait comprendre que la souffrance nous était envoyée pour évoluer.

La vie est comme la mer, tantôt calme, tantôt houleuse. Grâce à toi je n'ai pas sombré. Il y aura encore des vagues et des tempêtes, mais je sais maintenant que je ne suis jamais seule et je sais aussi que la souffrance a sa raison d'être.

Le jour viendra où nous pourrons, mon mari et moi, nous reposer dans un port calme.

Que Dieu vous garde et vous protège, chère Maguy, cher Daniel.

Dany

Une maman qui entend à nouveau le chant des oiseaux.

P.-S. Moi faire des fautes...

Moi pas française.

Le temps est un grand médiateur, certaines souffrances ne s'oublient jamais, mais l'amour, la fraternité sont de bons cicatrisants.

J'ai choisi cette lettre parmi des milliers d'autres pour son P.-S. Lorsque l'humour reprend ses droits, la guérison est proche.

Ouvrir la porte, ouvrir son cœur, ouvrir ses oreilles, ouvrir ses mains, tous les hommes peuvent le faire, bien simplement.

Il n'est pas besoin de richesse, sinon celle que chacun peut avoir en lui.

La petite flamme qui, un jour de grand froid, réchauffe.

Dans notre vécu, certains de ces anges nous ont tant apporté qu'ils sont restés dans nos cœurs à jamais.

J'ai terminé *L'amour en partage* par l'histoire de Leny qui nous quittait ; pour ceux qui ne l'ont pas lu, voici quelques mots sur Leny, notre enfant mascotte. Petits princes magiques assis sur une étoile, donnez-nous un peu de votre lumière.

Leny restera toujours dans le cœur de ceux qui l'ont connu, pour cette joie qui l'habitait, pour ce courage qu'il nous a offert, pour la sagesse et la grandeur de son comportement. Leny avait dix ans d'âge, Leny avait cent ans de sagesse ; il a imposé l'admiration et un profond respect à ceux qui l'ont rencontré. Il était trop lumineux pour la vie terrestre ; les prières, les larmes qui l'ont accompagné ont été transformées en fleurs roses de ce merveilleux jardin, au parfum inoubliable.

Leny depuis son départ a eu une petite sœur et un petit frère, sur qui il veille du haut de son étoile. Il a dû, je pense, faire une petite place tout près de lui à Vincent.

Vincent avait beaucoup de points communs avec Leny.

Son âge, son courage, sa maladie, la sagesse qui émanait de lui, son regard si profond, comme un lac, cette espèce d'aura qui attire, qui accroche, on ne sait pas pourquoi. Cette sensation de plénitude, qui laisse sans voix, à son approche, mais surtout ce comportement, cette grandeur devant la souffrance, face aux autres.

La façon de porter crânement une casquette sur la tête chauve, comme un titi, de sourire peut-être pour ne pas pleurer, cet air un peu désabusé, en disant : « Ça va ! Pensez à moi ! Je compte sur vous ! »

C'était tout cela, le petit Vincent. Quand un ange s'égare sur la terre, un nuage lumineux reste long-temps, là où il a vécu... Il imprègne de sa lumière tous ceux qui l'ont connu.

Les parents de Vincent se sont connus très jeunes, puisque Robert, le papa, a été recueilli par ceux qui vont devenir ses beaux-parents, après avoir été ses parents d'adoption.

Robert et Marie, unis tout d'abord par un amour fraternel, ont connu l'Amour, avec un grand « A », qui les a unis pour la vie.

Leur bonheur est terni par le manque d'enfant. Mais après un traitement hormonal, Marie est enfin en attente d'un bébé. Vincent est en route ! Vincent arrive ! Quel bonheur !

Il est si beau, ce petit ange, Robert est très fier de son fils. Mais ce bonheur, si désiré, est de courte durée.

Après une brève maladie, le papa de Marie, qui est aussi celui de Robert, est hospitalisé pour un cancer. Le lendemain de l'hospitalisation, le père du malade, c'est-à-dire le grand-papa de Marie, meurt brusquement, sans avertissement, suivi par l'autre grand-papa, du côté maternel. Voici donc les deux grands-pères qui partent ensemble, comme s'ils vou-laient faire une escapade pour cette croisière, dans le merveilleux pays d'où l'on ne revient pas !

Marie se retrouve, après ces deux chocs, jeune maman, avec le travail de la ferme — car ils sont agriculteurs —, un petit bébé dans les bras, un père à l'hôpital, en réanimation, le chagrin d'avoir enterré ses deux grands-pères.

Période difficile, il faut trouver une gardienne

pour l'enfant pendant les visites à l'hôpital, puis Marie perd son papa et elle est à nouveau enceinte d'une petite fille. L'année suivante, Robert perd son frère d'une crise cardiaque à quarante ans, encore une grande douleur.

Mais la Vie reprend ses droits. Les enfants grandissent. Les jours sont courts, le travail de la ferme intense.

Le destin va frapper à nouveau lourdement, Vincent pose quelques problèmes de santé. Le médecin est optimiste. Les premiers examens médicaux sont négatifs, mais l'état de Vincent se dégrade ; finalement, le diagnostic est rassurant : angiome sur la deuxième vertèbre cervicale. Ce n'est rien ! Erreur médicale ? Peut-être ; les parents se veulent rassurés, malgré des douleurs de nuque de plus en plus violentes chez l'enfant.

Un jour, Vincent se retrouve dans un grand hôpital de Lyon ; le verdict tombe, atroce, tumeur cancéreuse sur la vertèbre avec métastases au foie et aux poumons...

Après une première chimio, Vincent va mieux, il a maigri, perdu ses cheveux, mais a retrouvé son sourire. Il adopte la casquette rouge pour cacher la nudité du crâne, éviter les questions indiscrètes. Pour son anniversaire — il a huit ans — les médecins décident une greffe de moelle.

Ce petit martyr va connaître la chambre stérile et ses parents la descente aux enfers.

Comment peut-on, avec des mots, retracer ce qu'un père, une mère subissent, impuissants, devant la souffrance de leur enfant ? Seuls ceux qui ont vécu cela peuvent comprendre...

L'été arrive, Vincent va bien ; enfin, il est guéri. Le bonheur commence à revenir. Le train-train de la vie journalière reprend, avec un immense espoir. La vie est là, après tant d'heures, de jours, de nuits sombres, qu'il fait bon la croquer !

Mais en juillet, Robert revient un jour des champs en disant : « Une guêpe m'a piqué à la gorge, je me sens très mal. » Le temps d'appeler le médecin, les pompiers, Robert perd connaissance ; malgré les soins d'urgence, il meurt dans la nuit.

Il faut apprendre l'horrible nouvelle aux enfants.

Marie est absolument désespérée, c'est Vincent qui console sa maman : « Ne pleure pas ! Tu sais, papa est là, il sera toujours là, il ne nous quittera pas ! »

Il veut aider sa mère : « Je vais travailler aux champs, tu verras ! On y arrivera. »

Brave petit homme, qui se sent déjà responsable de ses « deux femmes ».

Le Noël suivant est triste.

« Toutes les fêtes seront tristes maintenant », dit Marie.

Quelques jours après les fêtes c'est la rechute. Vincent est à nouveau hospitalisé, il va mal. Marie fait ma connaissance grâce à une émission télévisée, elle lit alors mes livres, vient me voir et entre au groupe d'accompagnement de Grenoble.

Devant la gravité de l'état de Vincent, devant la lumière de son regard, sentant cette espèce de vibration impalpable qui me bouleverse, je comprends instantanément que nous n'avons pas beaucoup de chances de le garder longtemps.

Puis, comme toujours, je me reprends : tant qu'il y a de la vie, il y a de l'espoir !

D'autres enfants sont venus à nous dans des états désespérés, et sont guéris depuis des années.

La bataille commence.

Tout en respectant scrupuleusement le traitement médical, Vincent est pris en charge par le groupe, où il a rencontré des cousins, dont une infirmière, son mari, ses enfants, qui sont avec nous depuis quelques années.

Françoise va l'aider, une médecine douce, complémentaire, notre amour, notre prière entourent notre petite mascotte, mais notre ange va rejoindre bien vite son papa, et sa vraie patrie, après nous avoir dit, à notre dernière réunion avec lui :

« Je compte sur vous ! Ne me laissez pas tomber ! »

Petit Vincent, petit trésor, c'est toi maintenant, de ton ciel, qui vas nous aider ! Ne nous laisse pas tomber !

Pourquoi ai-je écrit cette histoire ?

Parce que je veux rendre un hommage au courage, à la dignité de Marie. Après le départ de son petit ange, elle a vendu la ferme. Laissant les larmes couler de temps en temps mais avec un cran inouï, elle marche, elle lutte pour élever sa fille, bien sûr, mais aussi pour aider à son tour les mamans en détresse.

Il faut que son Vincent, Robert, son père, ses papys, soient fiers d'elle. Elle veut être digne d'eux, parce qu'elle sait qu'ils sont bien vivants, dans une autre dimension, qu'ils sont là, toujours prêts à l'aider en cas de besoin, quand il le faut.

Marie fait partie d'un groupe d'accompagnement, mais aussi de l'association N.O.E.L. Son sourire, sa foi peuvent aider, réconforter ceux qui ont connu les mêmes déchirures, les mêmes absences, les mêmes souffrances.

Je suis fière, très fière de connaître Marie, d'avoir

été sa confidente, d'avoir compris les leçons de vie qu'elle m'a données.

C'est grâce à de tels êtres que, dans certains moments de lassitude, après quarante ans de « travail sur le tas », j'ai honte si, quelques instants, la fatigue veut me faire baisser les bras. Merci Marie.

L'association N.O.E.L. donne à toutes ces familles un soutien très simple : une souffrance partagée, un repas pris en commun, une marche dans la nature, elle permet peu à peu d'accepter de petits moments de plaisir, comme écouter une belle musique pour tenir une heure, dans les instants terribles, tenir, tenir à tout prix. Tenir un jour, encore un jour, une semaine, encore une autre...

Attention aux frères et sœurs qui vivent eux aussi un terrible traumatisme ; ils ont besoin de l'amour de leurs parents, d'être aimés pour eux-mêmes et non à la place de l'enfant parti.

Devant les larmes de leur mère, certains croient qu'elle n'aimait que l'absent ; attention aux incompréhensions, aux névroses qui pourraient en découler. Priez, priez beaucoup à 20 h 30, au moment de notre chaîne de prière ; demandez à l'enfant parti, grâce à votre certitude dans l'immortalité, de venir prier avec vous. Il viendra... Vous sentirez peu à peu, doucement, la paix vous gagner. Le lien existe entre le ciel et la terre, la vie est courte, vous le retrouverez bientôt, il vous attend. Dites-vous que, de l'invisible, votre enfant vous fait confiance, il veille sur vous ; il vous faudra quitter vos vieux habits, réapprendre à sourire, à vivre, à aimer, c'est un combat dont vous sortirez un jour beaucoup plus fort.

La vie ne sera plus jamais la même, vos valeurs

non plus ; votre maison, votre famille seront à reconstruire, comme après un tremblement de terre.

Ne cherchez pas à tout prix à rentrer en contact avec lui, vous risquez de vous faire escroquer par de « pseudo-médiums » ; si votre enfant veut se manifester, il le fera directement par un rêve, un parfum, un événement familier qui n'appartient qu'à lui, un phénomène spontané qui vous fera dire : « C'est lui ! Lui seul pouvait faire cela ! »

L'écriture automatique apporte la consolation à de nombreux parents, mais soyez prudent là encore, aucun contrôle n'est possible. Je dénonce, à ce sujet, les soi-disant « médiums » qui relèvent des adresses dans la rubrique nécrologique, se renseignent sur les familles et se manifestent des mois plus tard après le deuil en disant : « J'ai reçu un message pour vous. » Signé bien sûr du prénom de l'enfant. Cela est déjà arrivé et c'est une abominable escroquerie ; ne payez jamais, ne donnez pas un centime pour ce genre de chose.

J'avais bien distingué, si je puis dire, le chagrin inguérissable que provoque la perte d'un enfant des autres détresses pour lesquelles on fait appel à nous et à nos groupes ; à cet effet, j'avais écrit la chanson « Mon enfant de lumière », chantée par la chorale de notre groupe d'accompagnement de Grenoble, lors d'une grande réunion des groupes, ou, par exemple, lors de notre fête de l'amitié. Devant l'impact de cette chanson, réclamée par tant de parents malheureux, j'ai cherché une voix, celle d'un chanteur, pour la commercialiser dans le but de faire un peu d'argent, destiné en cas de besoin à aider des familles foudroyées par la maladie mortelle de leur enfant.

Un soir, au cours d'un entretien avec Etty, elle

me conseilla de demander à Michel Delpech de prêter sa voix si parfaite ; je réponds à mon ange que je ne connais pas ce chanteur (que j'aime beaucoup), et que ce n'est pas possible.

Quelques jours plus tard, une dame me téléphone pour un renseignement ; elle avait lu mes livres, et s'appelait Geneviève Delpech. C'était la femme de Michel !

C'est ainsi que Michel et sa femme sont devenus mes amis, et que la chanson a été interprétée par ce chanteur plein de gentillesse et de compassion.

Un dimanche de novembre, beaucoup de familles de l'association se sont retrouvées pour l'assemblée générale à Champier. Bien des parents venaient pour la première fois, en état de douleur absolue, pour essayer de retrouver une lueur d'espoir ; ils franchissaient la première étape par leur participation. Entouré de toute l'équipe du bureau de N.O.E.L., le docteur Wailles les a accueillis dans la salle des fêtes du village, où la municipalité a tenu à venir saluer tous les participants.

Michel Delpech était présent, ainsi que son épouse, ayant fait un voyage éclair de Paris à Champier ; tout le monde a été touché, tous ont été conquis par leur gentillesse, leur simplicité et, surtout, leur faculté de partage et de réconfort.

Beaucoup d'émotions et d'espérance ont circulé ; cette grande rencontre n'était pas triste, chacun voulait faire face dans la dignité pour apporter à son voisin son amitié et l'aider à avancer. Tous ensemble ont chanté « Mon enfant de lumière », comme il était beau ce chant qui sortait de l'âme, alors que les yeux clos ruisselaient de larmes ! Une maman m'a écrit depuis : « Je remercie Dieu tous les jours de m'avoir fait rencontrer ce groupe, grâce auquel j'ai remplacé le mot " solitude " par le mot " amour " ».

Beaucoup de bonnes volontés ont permis à nos mouvements de se multiplier, mais d'autres groupes sont nés dans des disciplines un peu différentes ; peu importe, si le but à l'aide est le même et avec une gratuité totale.

La chaîne de prière de 20 h 30 nous réunit par une pensée ou une prière pour les malades, pour la paix ; nous sommes aujourd'hui des millions à nous brancher sur cet immense égrégore qui peut apporter un mieux-être aux malades qui nous rejoignent à l'heure exacte, c'est une force bénéfique, comme un puissant courant d'ondes de guérison.

Bien des témoignages me prouvent le mieux-être des souffrants, à cette heure-là ; l'important de cette chaîne est que chacun peut participer là où il se trouve, à la maison, dans la voiture, dans la rue, sur le lieu de travail, etc., quelque part dans le monde, puisque la terre tourne, il est toujours 20 h 30. Ce moment de recueillement de quelques minutes est très important de par notre nombre et la sincérité de tous. Il m'a été dit que toutes ces libres équipes de prière, quelle que soit la religion de chacun, rejoignent le fondement de la pensée de Teilhard de Chardin : « L'humanité, l'esprit de la terre, la synthèse des individus et des peuples ; la conciliation des éléments et du TOUT. » Toutes ces choses qui paraissent utopiques, pourtant un jour, je l'espère, se développeront sur toute la terre, pour l'évolution du genre humain.

Imaginer — c'est un rêve — que l'amour devienne la plus grande religion sur notre planète ! Elle engloberait vite toutes les autres !

N'oublions pas que nous sommes des vibrations,

que nous attirons à nous les vibrations correspondant aux nôtres par notre foi, ainsi que de multiples forces divines bienfaisantes. Nous devons tenir compte des lois cosmiques, nous devons pratiquer la prière, la méditation, la charité vraie, qui permet à nos vibrations de s'élever. Cette attitude nous rend humble et attentif ; elle constitue notre bouclier car la route est longue, ardue, et les pièges sont nombreux.

Recevoir une initiation spirituelle, si nous n'en sommes pas digne, c'est nous assurer une ascension suivie d'une descente vertigineuse. Ne cherchez jamais à acquérir un pouvoir, vous l'obtiendrez lorsque vous serez détaché de toutes choses.

Connaissez-vous l'histoire de cette brave dame qui toute sa vie a soigneusement rempli une valise de toutes les bonnes œuvres qu'elle a réalisées ? Lorsqu'elle arrive au paradis, impossible d'entrer... la valise est bien trop grande, et la porte bien trop étroite !

Je me rappelle également la réaction d'Etty vis-à-vis de Julienne. Julienne voulait absolument entendre Etty, lui parler directement ; cette demande persistante a duré des années. Un jour Etty me dit : « Dis à ton amie Julienne que j'accepte cette entrevue. » Julienne était transportée de joie, mais Etty lui dit seulement :

« Dans ta vie, as-tu eu faim ?

— Non.

— As-tu eu froid ?

— Non.

— As-tu pu te laver lorsque tu étais sale ?

— Oui, dit Julienne.

— Alors, pourquoi m'as-tu dérangée ? J'ai beaucoup de choses à faire ! » répond Etty.

Elle est « partie », laissant Julienne en larmes.

Soyons humbles, ne portons pas le drapeau trop haut ; sachons garder une âme d'enfant. Les petits enfants sont parfois sages, « juste ce qu'il faut ».

Guillaume rentre de l'école et raconte : « Tu sais, maman, pendant que la maîtresse donnait la leçon j'ai ouvert ma main, il y avait Aladin et sa lampe. Aladin m'a dit : Fais trois vœux, Guillaume, je les exaucerai ! J'ai dit :

— Le premier, il ne faut plus qu'il y ait de guerres !

— Le deuxième, il ne faut plus que des enfants meurent !

— Le troisième, s'il vous plaît, je voudrais passer une journée entière à Euro Disney ! »

Très logique ce petit Guillaume, les autres « d'abord », mais enfin la récompense, « après ».

La vie spirituelle, je le répète, est un état d'esprit, un état de chaque jour, de chaque instant. La graine semée peut germer des années plus tard, c'est pourquoi nous devons être attentif aux semailles. Notre vie passée tôt ou tard nous rattrape, nous progressons dans l'espoir de devenir le plus grand possible, en devenant le plus humble possible.

Il y a plus de trente ans, je m'étais occupée de Jean, un malade gravement atteint ; c'était un honnête homme avec qui j'avais beaucoup sympathisé, sans essayer de le convaincre de quoi que ce soit. Il avait entendu, vu et vécu notre vie, nos actes de foi et d'amour. Complètement guéri, il est rentré dans ses foyers. Le temps a passé, son fils s'est marié, Julie est née mais ce fut une naissance à problème ; les difficultés de santé du bébé nous ont rapprochés car Jean m'a appelée et suppliée de penser à Julie à 20 h 30. Il m'a rappelé leur manque de croyance, me demandant de prier à leur place pour Julie et sa maman. Julie va bien maintenant mais Jean vient de mourir brusquement d'un arrêt cardiaque. La mère de Julie m'a téléphoné en expliquant qu'elle renvoyait « l'ascenseur à son père » : « Il serait heureux que votre amitié l'accompagne, il parlait souvent de vous, je crois que vous aviez ouvert une porte qui ne s'est jamais refermée ! » me dit-elle.

L'enterrement civil ne l'a pas été tout à fait ; en souvenir du passé, les enfants ont lu un texte que j'avais offert à une amie de Jean ; ils ont posé un bouquet de fleurs des champs sur son cœur, ont allumé de petites bougies et ont fait une chaîne de mains unies autour de son corps. N'est-ce pas une prière ?

Jean est parti dans l'amour des siens, accompagné par le souvenir bien vivant de ce qu'il avait découvert, un certain jour, dans un groupe d'accompagnement de Grenoble.

Rien n'est jamais perdu, ni le bien, ni le mal, ni l'amitié, ni la reconnaissance du cœur, au-delà du temps, des barrières, des frontières. Dans notre monde de tumulte où des hommes, des femmes, des enfants meurent sans trop savoir pourquoi, il faut se poser la question : Concrètement, à quoi servent les religions ? L'intérêt, l'argent, la soif de pouvoir, le « Moi », le « Je » sont rois. La disparition de certains peuples (voire les génocides) est banalisée. Le martyre des petits de l'homme est exploité, l'humain, on le sait bien, est parfois plus féroce qu'une bête sauvage.

À côté de cette évidence existent tant de belles choses, tant de bonnes volontés, tant d'amour et de générosité ! Un homme peut, avec l'amour ancré dans son cœur, accomplir des actes d'altruisme inimaginables ; un ami lyonnais, M. Félix Odet, après la lecture de mon premier livre, décide avec l'aide de son épouse, sans grands moyens, de l'offrir à toutes les prisons françaises, après avoir sollicité et obtenu l'autorisation de M. Chalendon, garde des Sceaux à l'époque :

Monsieur,

En réponse à votre courrier en date du 14 avril 1988, j'ai le plaisir de vous faire savoir que je ne vois aucun inconvénient à ce que le livre de Maguy Lebrun, Médecins du Ciel, médecins de la Terre, *soit diffusé dans les établissements pénitentiaires.*

À cet effet, je vous joins la liste des établissements pénitentiaires sur le territoire national, le nombre de bibliothèques est indiqué entre parenthèses lorsqu'un établissement en possède plusieurs.

J'en informe ce jour M. le Directeur des prisons de Lyon.

Je vous remercie pour votre geste généreux et vous prie d'agréer, Monsieur, l'expression de ma considération distinguée.

Des centaines de colis sont envoyés aux bibliothèques des maisons carcérales françaises. Beaucoup de détenus, après m'avoir lue, ont écrit leurs émotions ; ce livre semble avoir apporté une lumière dans leur nuit, mais surtout une espérance. Il faudrait que beaucoup de livres spirituels, je dis bien, spirituels, et non religieux, soient autorisés. Souvent la perte de liberté peut, après un état de révolte, provoquer une rupture avec leur religion d'origine ; le chemin de la réconciliation s'accomplit par d'autres voies, dans ces étapes de silence obligatoire, parfois si longues. Un livre représente un élément positif s'il se lit au bon moment et il est forcément suivi d'un temps de réflexion.

Je connaissais l'atmosphère spéciale des prisons, lorsque j'ai « travaillé » bénévolement au palais de justice de Grenoble, dans le service d'éducation surveillée dépendant du service du juge pour enfants. J'étais visiteuse de prison pour mineurs et c'est ainsi que nous avons, Daniel et moi, recueilli de grands enfants, petits chiens perdus sans collier, à qui nous avons offert un toit, un cocon familial que bien souvent ils n'avaient jamais connu, un peu de tendresse et le baiser du soir, richesse inouïe, sans égale pour eux.

Visiter un détenu dans un parloir en tête à tête ou faire une causerie-débat à plusieurs dizaines d'entre eux est totalement différent. Je suis allée deux fois à la prison de Fleury-Mérogis, à la section des femmes condamnées à de lourdes peines ; la première fois, les détenues étaient entourées de nombreux gardiens, l'ambiance lourde, tendue. Certaines me semblaient malades, en sortant mes larmes coulaient comme la rivière, impossible de les retenir ; un sentiment de culpabilité m'étreignait, un peu comme une honte d'appartenir à notre société. Bien sûr, ce sont des coupables qui paient une peine, mais une seule question se posait à moi : pourquoi ? Pourquoi, comment en étaient-elles arrivées là ? Ma petitesse, mon incapacité à les aider me faisaient mal ; tant de questions restaient sans réponse...

La deuxième fois, je me suis préparée avec soin, bien décidée à contrôler totalement mon émotivité, pour essayer de faire mieux, d'être plus utile aux prisonnières, d'apporter non pas une compassion totalement superflue, mais une espérance, malgré le vécu passé, une aide pour mieux accepter ce présent, pour préparer l'avenir.

Une immense surprise m'attendait. M. Daussy, sous-directeur de cette grande prison, qui venait de prendre ses fonctions lors de ma première visite, avait appliqué dans son travail de tous les jours une règle de vie beaucoup plus humaine.

L'ambiance était tout autre, un peu « irréelle », les détenues moins stressées, plus heureuses. Il est difficile d'expliquer les sensations éprouvées, j'avais l'impression d'être dans une salle de conférences normale avec, en plus, quelques gardiens souriants et discrets. Ce travail d'un homme de cœur, manifestement croyant, dans un contexte qui ne doit pas être facile, permet d'appliquer des méthodes respectant l'intégrité de chacun. Le titre du débat était : « La dynamique de la philosophie dans la vie de chaque jour », mais les premières questions ont tout de suite fusé. L'immortalité : est-ce vrai ? Y a-t-il une vie après la vie ? Questions nombreuses, précises, qui ont confirmé ce que j'ai toujours cru : quelles que soient les erreurs d'un être humain, quels que soient les actes d'horreur parfois, qu'il a pu commettre, il y a toujours un peu de soleil dans chaque cœur. Personne n'est foncièrement méchant ; parmi les visages levés vers moi en quête d'un peu d'espoir ou de compréhension, je voyais les élans affectueux, les sourires qui disaient : « Merci, Maguy, d'être venue à nous. »

Après la causerie, profitant du courant de sympathie qui nous unissait, j'ai proposé une minute de silence pour la paix, une minute de prière pour tous les enfants de la guerre. Elles se sont toutes levées, main dans la main, après avoir convié le personnel présent de la prison, et M. Vincent Daussy, à se joindre à notre chaîne. Pas une détenue n'a quitté les lieux. Imaginez mon émotion ! Une force immense m'a envahie ; ce moment sacré d'une chaîne de prière, dans ces conditions un peu particulières, a dû réjouir tous nos anges de lumière. Je n'oublierai pas ce temps d'osmose parfaite.

Le soir à 20 h 30 je revois ces visages, je demande à Dieu la grâce pour toutes ces amies prisonnières, je suis certaine qu'Il la leur accordera.

Quant à M. Daussy, que je félicitais pour ses règles nouvelles et humaines qui rendent la dignité à des êtres en souffrance et qui à un certain moment de leur vie l'avaient perdue, il m'a répondu que ce qu'il avait essayé d'appliquer et avait réussi, c'était grâce à tous ses collaborateurs, tous ses compagnons qui travaillaient avec lui.

Il m'a également avoué qu'au moment de la prière il avait dû tourner le dos, très vite, pour que l'on ne voie pas la buée dans ses yeux. Quand on est le chef, on ne pleure pas devant tout le monde... !

Voici dans son intégrité la première lettre reçue, si émouvante :
Lettre de Dalila, la gitane.
Puis d'autres lettres ont suivi :

Chère Maguy,
Inutile de vous dire la joie qui a été la mienne jeudi dernier ! J'aspirais tellement à cette rencon-

168

tre. J'ai attendu pour vous écrire d'avoir eu un peu tous les « échos » de celles qui ont assisté à votre débat.

Toutes ont été enchantées et souhaitent vous revoir bientôt, même celles qui vont sortir bientôt ont dit : Si seulement on pouvait rencontrer une telle personne dehors, jamais on ne « retombe-rait ». De la part de filles multirécidivistes c'est un grand hommage qui vous est fait par cette petite phrase. Elles vous admirent toutes, votre chaleur humaine, votre grande simplicité et votre débat qui les a obligées à réfléchir sur elles-mêmes et à se remettre en question les ont « emballées » ! Plusieurs m'ont dit que dès qu'elles vous avaient vue, elles avaient ressenti comme une « onde » qui les submergeait au plus profond d'elles-mêmes et qu'avant même que vous ayez commencé à parler elles avaient la gorge serrée d'émotion et les larmes aux yeux.

Vous ne pouvez pas avoir une plus belle récompense que celle d'avoir semé chez ces déte-nues, dont beaucoup sortent de bien bas, tant d'espoir et d'émotion réelle et profonde et j'espère... durable... au-delà de ces murs !

Il aurait dû y avoir beaucoup plus de monde (je crois une centaine), mais cela avait été annoncé comme de la « philosophie » et certaines se sont récusées pensant n'y rien comprendre.

Après, par le bouche à oreille, beaucoup ont regretté de ne pas y avoir assisté et espèrent pou-voir le faire, lors de votre prochaine venue.

Succès complet, ma chère Maguy, je savais

169

qu'il ne pouvait en être autrement, un tel magné-
tisme émane de votre personne !

Je vous remercie pour tout ce que vous nous
avez apporté et tout ce que vous m'apportez per-
sonnellement par vos prières et vos lettres qui
m'aident tellement. Savez-vous que toutes prient
une minute en union avec vous à 20 h 30 ! Quel
beau résultat ! Cette chaîne de prière qui a clô-
turé votre débat les a beaucoup marquées.

Je vous embrasse très très affectueusement.

E...

L'évolution de notre planète passera inélucta-
blement par l'évolution de chacun de nous ; nous
sommes tous responsables. Vues sous un angle de
modération, de sagesse, et surtout de responsabilisation, les aventures de nos vies seraient différentes.
L'immense chaîne de nos mains autour de la terre
est porteuse d'une très grande espérance, tous ces
êtres de bonne volonté qui sont les maillons d'une
immense chaîne de solidarité se sentent fiers,
qu'importent leurs différences, leurs âges, leurs
races, leurs croyances ! La lumière de leurs yeux,
l'amour qui les anime, la simple offrande de cet
amour autour d'eux réussiront, qui sait, à combattre
l'inertie des religions, des politiques, et à atteindre
un idéal d'unité, dans un esprit d'universalité.

Ne pensez pas que ce soit là un vœu utopique ;
nous nous sommes réunis à Grenoble pour une journée de rencontre et de fête, nous étions environ sept
mille. C'est une goutte d'eau dans la mer, direz-
vous ? Peut-être ! Mais si chacun de ces sept mille
fait cent adeptes autour de lui, qui à leur tour en
font cent...

N'oublions pas que nous avons, un jour, commencé cette aventure à cinq et il n'y a pas si longtemps. L'amour est très contagieux, même quand il passe par la prison.

Troisième partie

LA FÊTE DE L'AMITIÉ

LA PRESSE :
« ISÈRE : RASSEMBLEMENT INTERNATIONAL, FÊTE DES GROUPES D'ACCOMPAGNEMENT »

« *Des milliers de personnes venues de plusieurs continents seront à Grenoble le 26 juin pour une journée internationale des groupes d'accompagnement de malades.* »

Voici une trentaine d'années, Daniel et Maguy Lebrun créaient à Grenoble leur premier groupe d'accompagnement de malades, dans la générosité et la discrétion la plus totale. L'accompagnement des malades repose sur un principe aussi simple que criant de nécessité : des hommes et des femmes de toutes origines s'organisent pour donner un peu de temps, de réconfort et de chaleur humaine à ceux qui souffrent, et tout particulièrement aux malades de longue durée isolés de leur entourage familier.

Qu'il s'agisse des malades ou des bénévoles, ces interventions ne s'appuient sur aucune considération religieuse, raciale ou idéologique ; ni financière (l'accompagnement est rigoureusement gratuit ; les groupes qui le pratiquent n'ont

175

aucun salarié, et si les adhérents versent une petite cotisation, c'est pour aider matériellement les malades ou leur famille mise en difficulté).

La dernière fête commune ?

Ces dernières années, le mouvement parti de Grenoble a connu une formidable expansion, tant en France (où il existe plus de 300 groupes sur le modèle de celui de Maguy Lebrun) qu'à l'étranger : les trois plus récents viennent de se constituer en Argentine, au Liban et en Grèce.

Traditionnellement, une journée amicale réunissait les différents groupes une fois par an ; mais l'expansion même du phénomène induit que la fête des groupes d'accompagnement prévue le 26 juin prochain sera vraisemblablement la dernière de cette importance.

Des milliers de participants, parmi lesquels de nombreux membres des professions de santé, sont attendus par cars entiers, par train, par avion, venant pour certains du Canada ou d'Amérique du Sud.

Le symbole du Vercors

Ces participants venus de tous les horizons de la planète se recueilleront au souvenir d'une des pages les plus tragiques des maquis du Vercors : il y aura cinquante ans cet été, des soldats allemands firent irruption dans une grotte transformée en hôpital de fortune. Ils achevèrent sur place les blessés et fusillèrent ou déportèrent leurs soignants. Morte au camp de Ravensbrück, l'infirmière-chef de cet hôpital clandestin est la référence spirituelle des groupes d'accompagnement de malades de tous les pays. Car, dans cette grotte de la Luire, on soignait non seulement des résistants, mais aussi des Allemands blessés.

Un hommage international sera donc rendu à ce dévouement envers les souffrants des deux camps de l'époque. Il témoignera en différentes langues d'un principe de soutien mutuel dans toutes les souffrances, et par conséquent d'un idéal de paix et d'amitié.

Chaque année, les groupes d'accompagnement se réunissent par régions et par pays, pour se connaître, échanger des idées, des adresses.

Cette année, le dimanche 26 juin 1994, la fête a eu lieu à Grenoble parce que c'était le cinquantième anniversaire du départ d'Etty pour l'Allemagne, et le cinquantième anniversaire de la bataille du Vercors. Nous devions bien un hommage particulier à tous ceux de chez nous et d'ailleurs qui avaient donné leur vie pour notre liberté.

À Etty, qui nous a enseigné le pardon au-delà de la haine, au-delà du martyre, pour la fraternité des peuples et des hommes, pour des lendemains de paix.

Tout a commencé un an plus tôt quand, à l'issue d'une réunion et renouant avec la tradition, je proposais d'organiser la journée d'amitié à Grenoble. La surprise céda tout de suite la place à la joie : joie de revoir tous les amis français et étrangers qui ne manqueraient sans doute pas le rendez-vous !

Au fil des mois, puis des semaines, qui ont

précédé le jour « J », le temps semblait se rétrécir, ne plus pouvoir contenir tout ce qu'il y avait à mettre en place, pendant que chacun prenait conscience de ce que représentait cette journée. Les équipes s'organisaient autour de différents thèmes, plans en main, les rôles furent distribués, pour réaliser le meilleur accueil possible, la plus belle fête que nous ayons jamais organisée. Les répétitions de la chorale, sous la houlette de Dominique, devenaient de moins en moins « chahuteuses », de plus en plus appliquées, concentrées. Chacun ayant à cœur d'œuvrer pour tous, chacun s'appliquant à « repousser » les murs de sa maison, afin d'y faire entrer le plus grand nombre possible d'amis qui venaient « travailler ».

Ils ont apporté le meilleur d'eux-mêmes. Imaginez les mois d'activités diverses, les nombreuses répétitions, celles des enfants, les règles de sécurité à prévoir, la décoration d'une immensité de sols et de murs, mis à notre disposition, les achats de costumes, la mise en place d'équipes d'accueil, de renseignements, la nursery pour les bébés, etc. Dans un tourbillon de joie, de folie, de disputes, de rires, de pleurs parfois ; il fallait tout prévoir : même les matelas de dernière minute pour des copains, la réservation de chambres d'hôtel pour les étrangers. Chacun proposait, l'émotion et la joie du partage à venir constituaient la toile de fond, emplie de désirs, de problèmes, d'attentes.

La journée et la soirée du 25 juin furent à elles seules les répétitions générales en modèle « réduit » du lendemain.

Puis enfin elle fut là, cette grande journée du 26, attendue, espérée, un peu redoutée : « Tout se passerait-il bien ? » Déjà le ciel était avec nous, quelques gouttes de pluie nous mettaient à l'abri de la canicule et nous étions à l'abri à Alpexpo Grenoble.

Un mot pour désigner cette journée, un qualificatif : « IMPRESSIONNANT » ! Nous avons couvert dix mille mètres carrés ; impressionnants le flot continuel des arrivants, la joie de tous. IMPRESSIONNANT !

La qualité des rencontres, les délégations étrangères avec leurs drapeaux, la force qui émanait de la foule, le calme, la simplicité des participants, connus ou inconnus, qui entraient en souriant pour se fondre dans cette masse, faisant en quelque sorte l'offrande de leur trajet, de leur présence, de leur fatigue, pour apporter leur pierre à l'édifice. Nous étions tous conscients des forces spirituelles réunies, tous secoués, pleins d'émotion en réalisant que quelque part, en notre inconscient, nous étions dépassés par toutes ces puissantes présences visibles et invisibles. Etty m'a appris par la suite qu'une multitude d'êtres, de guides, d'amis au-dessus de nous ont offert leur prière et leur protection. Nous étions cinq mille à 11 heures, environ sept mille l'après-midi... Moment de ferveur, d'osmose totale, de bonheur, de communion.

J'ai cru mourir d'émotion en voyant des déportés et des Allemands s'embrasser ; quand tous nos amis étrangers ont défilé avec leurs drapeaux sur le podium : Allemagne, Royaume-Uni, Espagne, Grèce, Belgique, Italie-Sicile, Liban, Suisse, Canada, Pologne, Brésil, Norvège, Roumanie, Iran, Colombie, Pays-Bas, Portugal, Mexique, Luxembourg, États-Unis. Penser que des gens sont venus de si loin, certains ont voyagé deux nuits en car, pour simplement participer à cette amitié internationale, est bouleversant.

Tout n'a pas baigné dans la perfection, certains furent déçus par les défaillances techniques de la sono, d'autres auraient voulu nous parler, nous approcher, Daniel et moi, mais sans nous en avoir parlé « nos troupes » nous ont encadrés et « protégés ». Sur l'instant nous en avons été peinés, mais à la réflexion c'était plus sage ! Vu notre âge et ce jour-là notre fatigue, aujourd'hui avec le recul, ce sont de tout petits détails.

Tout ce qui fut offert et partagé, au-delà des sentiments et de la formidable fraternité humaine manifestée, me porte à espérer que la paix pourrait bien être réalisable un jour sur la terre, pour peu que, de plus en plus nombreux, nous prenions la peine de nous donner la main. Chacun a apporté, ce jour-là, un peu de son cœur et de son âme ; j'ai été très émue par la participation d'amis iraniens, qui ont tenu à représenter leur pays.

Au début de la journée, j'ai répété quelques règles essentielles concernant les groupes d'accompagnement ; j'ai rappelé qu'ils étaient constitués en dehors de toute appartenance religieuse, politique ou raciale. Nous ne devons jamais donner un enseignement quel qu'il soit, mais travailler dans le silence, par respect pour la liberté de conscience de chacun. Un acte d'amour est beaucoup plus important que n'importe quel discours. La seule thérapie autorisée est celle de la prière « qui guérit », il importe de rester à sa place, dans l'anonymat ; nous n'avons jamais eu de problème avec des gens humbles, silencieux, qui sont les plus évolués spirituellement.

Les malades présents étaient très nombreux, ils ont bénéficié de la prière de guérison, ils ont ouvert leur âme pour laisser les vibrations d'énergie les pénétrer, comme on ouvre la porte de sa maison pour laisser entrer des amis.

Des centaines d'enfants, excités par l'ambiance de fête qui régnait, ont participé dans un moment de sagesse aux méditations ; ces enfants qui ont eu la chance de voir des milliers d'hommes et de femmes se donner la main, malgré leurs différences, n'oublieront jamais.

Après la prière pour les malades, la chanson d'Etty s'est élevée, chantée par la chorale du groupe de Grenoble, puis « Le Chant des partisans » murmuré en sourdine par tous nos jeunes, et cela a constitué des instants de ferveur intense.

Dans la foule, beaucoup de personnalités dont M. Robert Laffont, mon éditeur, M. Alain Carignon, maire de Grenoble, le professeur Jean-Pierre Relier, médecin hospitalier, le père Godel, prêtre, sœur Chantal, petit ermite qui avait quitté la grotte où elle vit depuis vingt-cinq ans. Tous ont participé à cette journée, ils ont, par leur présence, bien que chacun soit venu à titre amical, représenté les lettres, la médecine, l'État, la religion, sœur Chantal était là au nom de tous ceux qui prient en silence dans le monde.

Chacun a manifesté sa présence par une allocution personnalisée, qui intéresse tous nos groupes d'accompagnement. J'ai relevé les principaux extraits en souvenir, pour tous les amis présents de ce jour et pour informer tous ceux qui n'ont pas pu venir et l'ont regretté.

M. Alain Carignon, maire de Grenoble, était ministre de la Communication le 26 juin 1994. Je ne fais pas de politique, droite, gauche, centre pour moi sont des mots vides de sens. Les groupes d'accompagnement sont totalement apolitiques, chacun est libre de ses opinions ; nous fonctionnons dans une liberté entière. Mais il ne m'apparaît pas possible qu'un homme qui a participé à notre journée puisse être rejeté parce qu'il a eu des ennuis graves. Si les dirigeants et tous les hommes politiques qui ont d'énormes responsabilités savaient qu'ils devront, de gré ou de force, rendre compte de leurs actes à Dieu dont la justice sera plus exigeante que celle des hommes, s'ils comprenaient que chaque souffrance infligée, quelle qu'en soit la raison, à ceux dont ils ont la charge, c'est à eux qu'ils l'infligent, ils seraient plus responsabilisés dans chacun de leurs actes.

Mais être arrêté dans la course au pouvoir, être obligé de subir une période de réflexion et de silence, de privation de liberté, n'est-ce pas un cadeau dans notre trajectoire évolutive ? D'une telle épreuve, il peut sortir un homme nouveau, beaucoup plus riche et plus grand. Voici donc le discours du maire de Grenoble, ville si proche du Vercors et berceau de notre mouvement.

« Merci de votre accueil. L'amitié, c'est évidemment une fête permanente, alors que dire au fond d'une fête de l'amitié, que dire de plus sinon que j'imagine les raisons qui vous rassemblent aujourd'hui autour de Maguy Lebrun et de son époux, et que dire sinon que l'amitié est probablement dans notre monde et notre pays une valeur moderne.

« Je voudrais dire qu'il est assez rare de participer à des réunions qui exaltent justement ce qu'il y a de meilleur dans l'homme, ce qui fait appel à sa générosité, au partage et, au fond, ce qui aspire à la paix à la fois avec soi-même et avec les autres, avec les autres quand on l'a trouvée pour soi-même.

« Je dirai qu'à côté de ce monde en difficultés de communication, un peu chaotique, de ces images de violence, non seulement de ces images de violence mais à côté de la violence elle-même et parfois de la mort qui est semée de façon atroce, je dirai que d'une certaine manière vous faites contraste, vous faites contraste dans la forme et dans le fond. Dans la forme parce que vous faites contraste et opposition dans la discrétion, sans tapage, sans récupération médiatique ou politique possible et vous le faites aussi sans contrepartie ; et puis vous faites opposition à ce monde, vous le faites sur le fond, parce que justement vous semez ce qui lui manque le plus, c'est-à-dire le bonheur, la gentillesse, l'ouverture à ceux qui sont en difficulté, aux malades, aux invalides, aux personnes seules ou âgées, en fait à ceux qui en ont le plus besoin.

« Au fond, vous redonnez à l'acte gratuit sa valeur universelle. Alors on m'a dit que vous veniez d'un peu partout, du Portugal, d'Espagne, d'Italie, de Hollande, d'Allemagne, de Suisse, de Belgique, de Grèce, du Canada, de Colombie, d'ailleurs j'imagine que j'oublie des pays... Je voudrais comme maire de Grenoble vous souhaiter la bienvenue pour cette journée de la paix. Vous avez choisi aussi Odette Malossane, morte à Ravensbrück, figure de toutes les torturées et des victimes de la barbarie humaine, et je voudrais dire que Grenoble qui est une ville compagnon de la Libération, qui a beaucoup souffert dans sa chair, s'associe à cette mémoire. Je m'associe personnellement à vos intentions. Et il y a aussi " les enfants de lumière " pour soutenir ceux qui ont eu une des plus grandes douleurs dans la vie, j'imagine, celle de perdre un enfant. Alors Grenoble est, bien sûr, à la fois heureuse et fière d'avoir été choisie à nouveau pour ce rassemblement et elle s'associe à vos intentions et à vos idées. Je pense qu'une très grande partie de la ville de Grenoble vous comprend et vous soutient et je voudrais que cette ville exprime sa reconnaissance à chacune et à chacun d'entre vous et au fond souhaite que votre message irrigue la ville, irrigue notre pays et, si possible, irrigue le monde, nous donne un exemple tout à fait formidable de ce qui ne s'apprend nulle part mais de ce qui se donne. Nous savons bien que c'est grâce à Maguy et autour d'elle que nous sommes tous ici. Je voudrais lui dire que lorsqu'on a la chance de croiser dans sa vie des êtres de sa qualité, de sa force, de sa densité, on a probablement plus de facilité à continuer à vivre et je crois que chacun de ceux qui sont ici pourrait le dire. »

A suivi l'allocution de M. Robert Laffont, mon éditeur, mais il est bien davantage. Il fait partie de notre grande famille. Robert Laffont a gagné mon cœur depuis longtemps, je suis très fière, très heureuse de le compter parmi mes amis, ainsi qu'Hélène, sa femme.

Robert est un « grand » dans le sens noble du terme ; j'étais heureuse d'écouter ses paroles à notre journée d'amitié, paroles offertes spontanément, improvisées dans la chaleur de l'instant.

« Je suis un peu ému de vous adresser la parole, et si vous vous trouviez à ma place, vous seriez sans doute impressionné en vous voyant si nombreux.

« J'ai toujours pensé que le livre était un cadeau du ciel à l'homme. Je crois qu'il n'y a pas beaucoup d'objets qui aient pu à la fois donner autant de joie, autant de pensées, autant de chaleur que le livre. Si je vous en parle ainsi, ce n'est pas pour faire de la publicité parce que je suis éditeur ; au contraire, je suis éditeur parce que j'ai toujours aimé le livre.

« L'une des rencontres les plus importantes de ma vie d'éditeur a été, bien sûr, celle de Maguy. Je crois que j'ai rempli mon métier en éditant un livre que j'ai aimé, dont je suis fier, et qui a apporté à tous une chose qui n'existait pas et qui nous réunit aujourd'hui. Merci, Maguy, de cette joie que vous nous avez donnée, à moi d'abord, et à tous ensuite.

« Il y a trois ans, jour pour jour, je me trouvais sur un lit d'hôpital. Je venais de subir une opération du cœur très importante et j'étais en assez mauvaise posture. Maguy a demandé à ses groupes de prier pour moi. Et j'ai senti, j'ai vraiment senti la chaleur de vos prières. J'ai senti brusquement autour de moi quelque chose qui a bougé, et qui m'a même attiré vers la terre.

« J'en ai été profondément reconnaissant et je me suis dit que j'allais orienter, autant que je le pourrais, mon énergie d'éditeur vers des ouvrages positifs. J'ai créé une collection qui s'appelle " Aider la vie " et qui comporte déjà des ouvrages qui, je pense, vont faire un certain bien. Tout cela, c'est grâce à vous, c'est grâce à Maguy.

« Enfin, j'ai publié le livre de Hugo, son fils, qui s'appelle *J'ai choisi ma famille*. C'est un livre bouleversant, qui aide à comprendre la famille Lebrun, et d'une telle tendresse, d'une telle chaleur que j'ai été extrêmement ému. Ce que je veux vous dire aujourd'hui c'est que moi aussi j'ai choisi ma famille, je l'ai choisie avec vous ; c'est celle que nous représentons tous aujourd'hui groupés autour de

Maguy et Daniel et cette famille est intensément unie par les liens de tendresse et d'amour. Merci. »

Après Robert Laffont vint le tour du père Jean Godel qui a été le curé de la paroisse toutes les années où nous avons résidé à Saint-Nazaire-les-Eymes. Le père Godel nous connaît bien, il est notre ami, davantage peut-être, depuis longtemps il a suivi notre parcours. Sa tolérance a accepté notre différence, voici son allocution :

« Bonjour à tous. Maguy m'a déjà présenté et sans doute avez-vous réalisé qui j'étais : le père Jean Godel. Je suis l'ancien curé de Saint-Nazaire-les-Eymes. Je ne raconterai pas, par souci de ne pas vous accabler de trop de détails, comment j'ai rencontré Maguy dans ma paroisse. Je ne vous dirai pas non plus comment je suis resté ami avec Daniel et Maguy, toutes ces rencontres que nous organisons et que j'aime bien. J'avais écrit une préface, je ne reviens pas là-dessus, si j'avais à la réécrire, je la réécrirais sur le fond telle que je l'ai écrite.

« Aujourd'hui, je peux ajouter simplement que les *fioretti*, c'est vous qui les écrivez, qui en avez rajouté. Vous savez, ces petites histoires, ces mains qui brillent de gens qui s'en vont pour les groupes d'accompagnement, et puis pour ce groupe des enfants de lumière aussi, pour cette amitié qui a existé, qui existe entre nous et qui permet à certains de reprendre confiance. Je crois que c'est ça l'important, nous en avons tous besoin pour vivre.

« Maintenant, on m'écrit souvent parce que j'ai été témoin de ce torrent qui a dévalé sur Maguy et Daniel lorsqu'ils ont publié leur livre. Eh bien, j'en ai des petites retombées, j'ai pu souvent m'en rendre compte, dans ce torrent on m'a beaucoup posé la question : vous qui êtes prêtre, comment pouvez-vous accepter cela ?

« Alors je dirai que moi, qui suis prêtre, je ne suis pas venu ici en tant que représentant du Vatican, je suis simplement venu en ami, grâce à Maguy et à Daniel et à ceux que je connais parmi vous. Depuis que j'ai écrit cette préface, je suis allé en Égypte et j'ai été frappé par les grandes pyramides, beaucoup d'entre vous les ont vues... vous savez, ces quatre arêtes qui montent à la perfection vers un point commun ; alors je me suis dit : s'il y a un Dieu, ce que je crois, nous y allons par des chemins différents mais, au fond, nous convergeons les uns les autres vers un seul Dieu et à ce titre-là nous pouvons les uns et les autres dire notre gaieté, notre tolérance, notre respect, notre amitié.

« Je ne me préoccupe pas beaucoup du problème réincarnation/résurrection, j'avoue que c'est un problème théorique pour moi et je préfère l'aborder d'une autre façon, comme l'Évangile, d'ailleurs. Les apôtres avaient rencontré un problème équivalent et il leur a été dit de regarder les fruits que portent les arbres. Cela m'a conforté dans le don que j'ai fait de ma vie à mon Dieu, à Jésus-Christ.

« J'en profite pour saluer tous mes frères des autres religions parce que je sais qu'un des miracles de cette assemblée, c'est de rassembler différentes religions : beaucoup de catholiques, certes, comme moi, mais aussi des protestants, des orthodoxes, des musulmans, des bouddhistes, des juifs.

« Qu'est-ce qui nous sépare au fond ? Ce sont nos idées. Avouez que ce n'est pas grand-chose, eh bien, voilà ce que j'aimerais vous dire aujourd'hui aux uns et aux autres. »

Aux côtés du père Godel, toute petite, toute perdue, se tenait sœur Chantal qui vit en ermite dans une grotte près d'Avignon. Exceptionnellement, elle avait décidé d'affronter la foule immense d'Alpexpo pour partager avec nous la prière et l'amitié ; ce jour-là, elle n'a pas pu prononcer un seul mot sur le podium, mais, en partant le soir, elle a dit aux anciens membres du groupe de Grenoble :

« Savez-vous ce que vous avez vécu ici aujourd'hui ?

— La fête de l'amitié de tous !

— Non, ce n'est pas ce que j'ai voulu dire.

— C'était aussi la fête des malades ?

— Peut-être, mais ici aujourd'hui, nous avons respiré l'amour, l'amour pur, l'amour christique. Ne l'oubliez jamais ! »

Puis, dans les jours qui ont suivi, notre ermite nous a écrit.

Je suis profondément avec vous et votre œuvre, dans la prière. La photo d'Etty et ce qu'elle représente : vous et votre œuvre, reste devant mon icône du Christ avec mes autres intentions. Je suis très préoccupée ces dernières années pour Dieu et pour les hommes, je cherche des lieux où Il réveille la flamme. Pour cela, je vous ai écrit un jour, pour cela, j'ai voulu venir voir, à la fête de l'amitié.

Non seulement je n'ai pas vu un syncrétisme caché et peu sérieux mais ce que j'attendais, un terrain de liberté, fraternité et profondeur que l'Amour (et l'humour) de Dieu se prépare comme à la barbe des institutions officielles.

J'ai une joie particulière en remarquant le rôle qui est donné à notre pays, aujourd'hui apparemment en complète dévitalisation. Dieu aime choisir des filles de France, Jeanne d'Arc, Thérèse de Lisieux, Etty.

Je ne vous prends pas pour Marie mais j'ose vous dire comme dans l'Évangile : « Heureuse celle qui a cru ce qui lui a été dit de la part du Très-Haut. » Je ne prends pas Monsieur Lebrun pour Joseph, mais je salue en lui la même étonnante humilité.

Sœur Chantal

Pour nous qui ne sommes pas toujours compris dans notre démarche spirituelle, que des êtres qui ont voué leur vie à Dieu, dans le silence et la pauvreté, nous accordent leurs prières, leur présence et leur amitié, représente un exceptionnel encouragement.

Le texte du professeur Relier montre l'importance de la foi et de la connaissance chez un médecin à grandes responsabilités. Je connais de nombreux médecins comme lui, qui tiennent compte dans leur travail de tous les jours, de leurs convictions spirituelles ; mais bien peu ont le courage de le dire, de l'écrire, et de le reconnaître. Il faut une grande dose d'humilité pour le faire. Ne pas craindre la moquerie, l'ironie de certains confrères qui ont « peut-être » moins de problèmes de conscience.

Dans les drames provoqués par le sang contaminé, si tous les responsables médicaux avaient eu conscience des souffrances horribles que leur « légèreté » allait provoquer, auraient-ils eu la même attitude ?

Merci à Jean-Pierre d'être ce qu'il est et d'avoir le courage de le dire, devant des milliers de personnes, écouté par tous ses confrères de France, d'Europe, du Canada, etc., qui l'ont acclamé. Il a probablement ce jour-là ouvert une porte chez certains.

« Comme vous tous, j'ai connu Maguy par son premier livre. Comme vous tous, j'ai été impressionné sinon bouleversé par sa générosité, son amour, sa disponibilité à l'égard de l'autre, à l'égard des autres.

« Maguy, je sais que tu n'aimes pas m'entendre parler de la sorte puisque, en agissant ainsi, comme tu l'as été toute ta vie durant, tu n'as fait qu'accomplir la volonté du *Monde Invisible,* d'abord inconsciemment, sans le savoir, puis avec l'aide d'Etty, matérialisée grâce à Daniel.

« Si j'ai adhéré aussi inconditionnellement à ta démarche, c'est qu'elle correspondait parfaitement avec la recherche qui m'était imposée du fait de ma profession. Comme beaucoup d'entre nous, sinon TOUS, je suis " soignant " : soignant sans doute chacun, soignant surtout les nouveau-nés et les prématurés malades, et cela depuis trente ans.

« Au début, les récentes connaissances de la physiologie fœtale et périnatale, les remarquables progrès de la technique ont pu me faire croire que, pour le nouveau-né comme pour l'adulte, l'*homme* pouvait devenir le *maître* des événements. Quel orgueil ! Plus les progrès étaient probants, meilleurs étaient les résultats, plus je me rendais compte que cette nouvelle science, ces nouvelles connaissances n'étaient rendues possibles que par un remarquable travail de l'homme qui, la plupart du temps, ne faisait que permettre la révélation d'une connaissance antérieure.

« Ainsi le nouveau-né malade n'apparaissait plus comme un être fragile, dépendant des soignants comme il avait été dépendant de sa mère pendant les mois de sa vie intra-utérine. Le nouveau-né malade m'est alors apparu comme un être à part entière, ayant déjà vécu, depuis sa conception, de longues semaines de croissance, de maturation, exceptionnelles telles qu'il n'en connaîtra plus durant tout le restant de sa vie future. Le nouveau-né malade devenait un être décidant et non pas un malade supportant. C'est lui qui semble décider de sa naissance prématurée, de sa maladie éventuelle, de son transfert dans telle unité plutôt qu'une autre. Et moi, en tant que soignant dans cette unité, choisie par lui, je dois faire le *maximum* pour ne pas le décevoir, c'est-à-dire lui apporter l'aide qu'il attend de moi aussi bien dans la guérison possible de sa maladie que dans l'accompagnement de sa mort éventuelle.

« Grâce à toi, Maguy, et au message du *Monde Invisible* que tu nous transmets, j'ai compris que la mort n'est ni une fin ni un début, mais un passage.

« *La Mort fait partie de la Vie.* De même que la vie préexiste à la conception du corps physique, de même la vie subsiste et continue après la mort de ce même corps physique. Ainsi pour le prématuré malade qui peut mourir, les quelques semaines *in utero,* les quelques heures après la naissance auront sans doute suffi à cet être en évolution pour accomplir sa " *mission terrestre* " à condition que les " soignants " (parents, infirmières, médecins, kinési-thérapeutes...) qui l'entourent pendant cette période aient bien compris sa demande et sachent se mettre à sa disposition. Or, cette *" mission des soignants "* ne peut se faire que par un équilibre constant entre le *savoir acquis* par l'Éducation et l'*Intuition,* témoin irréfutable de la communication avec le *Monde Invisible.* Seul le *Monde Invisible* est capable de permettre la mémorisation d'une connaissance antérieure à notre vie actuelle. Seul le *Monde Invisible* peut nous permettre d'appréhender et d'exprimer ce que nous n'avons pas " appris ".

« En tant qu'universitaire studieux, je peux aborder, expliquer et souvent résoudre, en apparence du moins, une foule de problèmes liés à la santé de ce nouveau-né malade.

« En tant que " canal ", intermédiaire, témoin du *Monde Invisible,* je me dois de, sans cesse, mettre en question ce que me dicte mon intellect pour être certain que cela corresponde avec la demande de cet être qui se confie à moi. De même, je ne peux accepter inconditionnellement chaque manifestation de ce que je crois être celle du monde invisible. À chaque instant l'intérêt de l'enfant, l'amour que je lui apporte, est le vrai critère valable pour ma décision.

« Je pourrais continuer longtemps cette démonstration de la complémentarité constante entre connaissance intellectuelle et connaissance intuitive, entre logique cartésienne et expression du *Monde Invisible.* Je pense que vous avez compris l'importance fondamentale du message d'Etty transmis par Daniel à Maguy et à nous TOUS : message *d'Amour Universel,* universel s'entendant aussi bien comme une communion de tous les hommes de la terre visible quelles que soient leurs croyance, religion, appartenance culturelle ou politique, que comme une communion constante et réelle avec les personnages et entités du *Monde Invisible* qui ont un besoin énorme de NOTRE AMOUR comme nous avons *sans cesse besoin du* LEUR. »

Le professeur Jean-Pierre Relier a écrit un superbe livre que toutes les futures mamans devraient lire : *L'aimer avant qu'il naisse* *.

Après les allocutions, notre journée d'amitié a continué avec ses moments d'émotion intense, de joie, qui étincelaient dans tous les yeux. Le moment le plus fort pour Daniel et pour moi a été le défilé des membres de notre groupe ; avec eux défilaient nos actes de vie, les étapes de joie, de peine de chacun. En regardant les visages levés vers nous, nous revivions en un éclair les naissances, les mariages, les séparations d'êtres chers, toutes ces heures partagées qui ont scellé l'amitié en amour fraternel, familial, entre tous.

La famille d'Etty, présente, a été une des joies de ce jour. Son cousin germain, M. Guillet, et ses enfants nous ont parlé d'elle ; Michèle nous a raconté la dernière entrevue, le dernier au revoir à Etty... radieuse, partant rejoindre le maquis du Vercors, allant au-devant de son destin. Michèle avait douze ans, elle n'a pas oublié. Elle racontait et, d'un seul coup, Etty était là parmi nous, présence palpable et réelle symbole de la résistance à l'ignominie, représentante de tous ceux qui ont sacrifié leur jeunesse pour la liberté. Tous ces parents d'Etty conduisaient le défilé, derrière eux avançaient les anciens, ceux de notre âge, souriants, heureux, fiers de tant d'années de fidélité

---

* Éd. Robert Laffont, collection « Réponses ».

totale à un idéal, qui a fait un jour basculer leur vie. Suivaient leurs enfants, les jeunes couples, les adolescents et les plus petits, tous vêtus des couleurs de l'arc-en-ciel ; ils marchaient au son de « L'Hymne à la joie » de Beethoven, musique aimée d'Etty, entre toutes. Je voyais, à côté, au-dessus d'eux, marcher les absents, les anciens, ceux qui ont quitté notre terre, mais qui ce jour-là manifestaient leur attachement par leur présence invisible mais bien réelle à ce groupe dont ils avaient fait partie, dont ils étaient les pionniers. Je me demandai, un instant, si tous les anges qui les entouraient n'étaient pas nos futurs bébés... ceux qui prendraient la suite à leur tour !

L'image qui symboliserait le mieux cette manifestation serait l'océan, nous avions l'impression de vagues qui déferlaient l'une après l'autre et qui pouvaient se nommer : joie, amour, fraternité, fierté... non, ce ne sont pas les mots exacts, il n'existe aucun mot humain pour décrire l'indicible osmose, le bouleversement des cœurs et des âmes. Des milliers de mains applaudissaient, des larmes coulaient sur les visages, et cette musique, cette merveilleuse musique, de plus en plus forte qui nous transportait tous ailleurs. Il n'est pas fréquent sur notre terre de vivre, de donner une image d'unité, de fraternité totale, mais nous y avons réussi.

Toutes les lettres que j'ai reçues par la suite commençaient par ces mots : « Nous n'oublierons jamais ! » La journée s'est terminée par un chant d'amitié, les quelques quatorze mille bras levés comme un geste d'offrande représentaient encore l'océan, ses vagues à l'infini. Le lendemain de cette mémorable journée internationale *, quelques médecins ont voulu venir me saluer à Champier avec leur famille, avant de repartir. Nous nous sommes réunis avec suffisamment d'interprètes pour bien nous comprendre, lorsque des Allemands sont arrivés avec un enfant de quatre ans, malade ; nous avons réalisé en priant main dans la main autour de l'enfant que nous vivions, au-delà des frontières, concrètement, l'aide et la fraternité que nous avait enseignées Etty, bien qu'ancienne déportée, et que le premier bénéficiaire en était un petit Allemand... !

Les groupes d'accompagnement ont vécu cette rencontre comme un encouragement et une reconnaissance de cet immense travail d'assistance aux détresses qu'ils pratiquent dans l'ombre et le silence depuis tant d'années.

Marie-France, responsable du groupe « Mareil-Marly », m'écrit : « Je fais partie d'une association de généalogistes, j'ai reçu un bulletin quelques jours avant le 26 juin et je vois qu'un de mes collègues habite La Chapelle-en-Vercors. De plus il porte le même nom que moi, je profite de l'occasion pour prendre contact avec lui, car le samedi 25 une grande réunion a lieu à la grotte de la Luire dans le Vercors, pour les groupes qui le désirent. Il ne connaît pas Maguy, mais connaît Etty : " Elle était infirmière, elle a soigné ma sœur quelques jours avant son arrestation, nous avons bien failli faire partie du lot ! " me dit-il. Comme les voies du Seigneur sont impénétrables ! Je suis venue, écrit

---

* Thibault a filmé cette journée, une vidéo existe, vous pouvez la lui commander : Thibault Lebrun, place du Muret, 38120 Saint-Égrève.

Marie-France, j'ai rencontré quelqu'un qui a connu Etty. » Ils ne manquent pas d'humour là-haut ! Sûrement pas ! C'est bien pourquoi les clins d'œil du Ciel sont manifestes à qui sait les voir.

Le groupe de Lille pense que cette journée sera inoubliable pour ceux qui y ont participé. « C'est un hommage à Maguy et Daniel, écrit Roger le responsable, mais aussi à Etty qui nous conduit sur un chemin parsemé de durs moments et de choses ineffables. » L'association « Nos enfants de lumière » ne fut pas oubliée, Roger et son épouse ont perdu leur fils unique... Temps de méditation, temps de rencontre, temps donné pour aimer encore plus fort, temps de prière pour les malades, disent-ils.

Voici l'analyse de leur groupe : « Malgré la fatigue de deux nuits passées de Lille à Grenoble sur le chemin de l'amitié, nous sommes rentrés épuisés mais heureux, si heureux d'avoir été conviés à partager ce merveilleux cadeau qu'est l'amour. »

Quant au groupe Symbiose, de Paris, il se dit heureux « au-delà des mots pour le dire » : « Nous retiendrons la gentillesse, la disponibilité, l'accueil du groupe de Grenoble à tous... Lorsque nous chantions " Amitié ", nous étions une immense marée humaine avec des vagues, image magnifique, puisque nous étions tous " énergie primordiale " et vous, en tant que " Père et Mère ", une seule vibration animée par des milliers de bras levés. »

Au-delà de l'explosion de joie, toute la jeunesse, les enfants reliés par ce besoin de perfection, de pureté, d'altruisme, au-delà de tout dogmatisme, de tout gourou, nous a fait comprendre que la relève est assurée pour plusieurs générations et au-delà... Nous n'oublierons jamais !

La journée a passé si vite... peu à peu tout le

monde est reparti, riche d'émotions, bien décidé à être digne de la confiance mise en chacun, par le ciel et la terre. Alors, les balais, les poubelles, les travailleurs se sont mis à l'ouvrage ; il faut être pratique : la tête au ciel, les pieds sur la terre, pour laisser les lieux impeccables. Les adolescentes sur patins à roulettes, un balai devant elles, m'ont bien fait rire !

Il nous reste de si beaux souvenirs, il nous reste également le livre d'or, je le feuillette, il contient un potentiel d'amour, de joie et d'espérance incroyable, en voici quelques lignes :

« Formidable journée, formidables souvenirs, les mots qui surgissent : tendresse, solidarité, respect de l'autre, le message est passé ! »

« Aux êtres les plus beaux que j'ai rencontrés. »

« Beaucoup de kilomètres, de souvenirs inoubliables, des horizons nouveaux, nous n'oublierons jamais ! »

« Merci pour l'exemple, le message d'amour, nous suivrons... »

« Le message d'espoir a pénétré dans tous les cœurs, nous n'oublierons pas ! »

« Magnifique ! Pour la terre et le ciel ! »

« Je porte en moi un petit enfant, ma grossesse, Maguy, je te l'offre, il est le fruit de l'amour. »

« Amour, silence, humilité, c'est passé ! Bravo, merci à tous. »

Il y a des pages et des pages de cris d'amour, de cris de joie, et toujours ces mots : « Nous n'oublierons jamais ! » Pendant des mois, des centaines de lettres nous l'ont répété, je crois que le mieux-être de tous viendra de l'exemple donné et non des doctrines dogmatiques, aux lois périmées. Ce sera peut-être notre travail dans nos groupes d'accompagnement, donner envie aux autres de nous rejoindre pour apporter leur pierre à cet édifice d'altruisme et de solidarité ; chacun, là où Dieu nous a mis, à notre niveau, en toute liberté. Il me semble que nous venons sur terre pour des raisons précises, un peu comme si nous venions à l'école ; les classes durent tout le temps qu'il faut à notre enseignement, la vie peut être alternée sur terre et dans le ciel.

À mon humble avis, il vaut mieux bien apprendre pour être vite libérés, car nous sommes esprit et matière, éternels et temporels, ce qui fait notre dualité. Aucun homme n'est foncièrement mauvais, mais il est si difficile d'appliquer la loi, si difficile de se détacher, si difficile de donner notre nécessaire... sans regret. La libération est très certainement liée à nos choix, à notre faculté de discernement.

Dans toute vie humaine se présentent des croisements, savons-nous toujours prendre la bonne voie ? Nous conditionnons notre vie par nos choix, puisque nous possédons un libre arbitre. Lorsque nous avançons en âge, les multiples expériences vécues devraient constituer d'utiles leçons, mais il est plus facile de rejeter la responsabilité de nos échecs sur d'autres : parents, travail, société, etc. Mon ange me dit qu'un homme est pardonnable lorsqu'il fait une bêtise une fois, mais la même bêtise, répétée, devient un comportement idiot.

Savons-nous toujours utiliser les leçons de la vie ? Alice Bailey a écrit : « À travers le Bouddha se répand la sagesse divine. À travers le Christ, l'amour de Dieu est manifesté aux hommes. Ce sont cette sagesse et cet amour qui s'étendent sur nous. » Mais ne dit-on pas : « Il n'est pire sourd que celui qui ne veut pas entendre ! »

Toutes les religions prêchent la tolérance, elles sont pourtant tour à tour traversées par des périodes de fanatisme. Toutes croient en Dieu, mais au nom de ce Dieu on tue, on déclenche des guerres saintes, des guerres de religion, toutes pensent détenir la vérité ; que d'interdictions, que de souffrances au nom de cette vérité, qui infantilisent l'homme ! Ne vaudrait-il pas mieux le motiver par le bien, le beau, avec des exemples de joie, pleins de lumière ? Une belle histoire, un bel exemple sont plus porteurs d'élans qu'un interdit. Les religions sont utiles, mais elles devraient faire suivre leur enseignement par des actes ; sinon, à mesure que la connaissance grandira en l'homme, elles seront rejetées.

Les messagers du ciel sont de plus en plus nombreux. Bien sûr ils sont combattus, mal acceptés, des plus humbles aux plus grands. Que ce soit Jeanne d'Arc, Teilhard de Chardin, Padre Pio, ou beaucoup d'autres, de leur vivant ils sont mis sous le boisseau. Mais sans vouloir donner de leçons à personne, sans vouloir me prendre pour une prophétesse, j'écoute beaucoup de gens désespérés par notre époque, démotivés par les nouvelles télévisées ; et je suis sûre que des hommes, des femmes de bonne volonté qui ont un besoin d'absolu, de pureté et de vraies valeurs s'uniront un jour dans une religion universelle qui s'appellera l'AMOUR.

L'amour aide un être humain à vivre et à mourir dans la paix. L'amour est immortel et j'ai vécu tant de moments heureux dans ce domaine ! J'ai eu tant de preuves absolues que la mort ne tue pas l'amour chez ceux qui s'aiment.

Mon voyage à Athènes a été l'occasion de vivre un de ces bonheurs magiques, lorsque ceux du ciel et ceux de la terre se confondent.

Athènes, ville mythique, son éclat, ses philosophes, l'Acropole.

Quelle joie et quel honneur d'être invitée pour faire une conférence à l'Institut Goethe, dans cette ville, haut lieu de la culture grecque antique, et qui, même sous la domination romaine, resta le centre de la culture de l'Orient !

Grâce à mon amie Iffi Pepignas (qui a édité mon livre *Médecins du Ciel, médecins de la Terre* en grec), je m'envole un beau jour, de Genève, avec un couple d'amis fidèles et un de mes petits-fils, pour ce pays magique. L'air respiré là-bas est spécial, tout comme la nourriture, prise au son des guitares, douce saveur et piments, contraste permanent, rien n'est pareil qu'ailleurs.

Le soir de la conférence, je suis très émue, la salle est magnifique, les deux interprètes sympathiques, les assistants extrêmement chics, pratiquement en tenue de soirée. Mon seul regret, l'absence de Melina Mercouri, malade, hospitalisée, que j'aurais tant aimé rencontrer. J'étais à cent lieues de me douter de ce que j'allais vivre !

La plus violente, la plus inattendue des émotions que peut ressentir un être humain.

Au moment où je montais paisiblement les beaux escaliers de marbre, pour aller à la table de conférence, en une seconde tout s'est effacé, la salle, les gens, le milieu ambiant, je n'étais plus à l'Institut Goethe, j'étais une petite paysanne d'environ huit ans, qui emmenait un tout petit troupeau de vaches et de chèvres paître dans le champ de son père. Puis je les ai vus, tous deux, Rose et Eugène, mes parents bien-aimés, qui sont depuis si longtemps au royaume de la lumière. Ils étaient là, graves, souriants, avec tout l'amour du monde dans leurs yeux, fiers de leur petite fille. Ils étaient là debout, jeunes, solennels, en haut des marches, ils me regardaient monter. Ils étaient là... une onde de chaleur très puissante m'a envahie... alors, ils sont venus à ma rencontre. Ils sont entrés en moi. Comment expliquer avec des mots ce phénomène d'osmose ?

Leurs essences spirituelles et la mienne, leurs âmes et la mienne ne faisant qu'un.

Est-ce cela l'amour, au-delà de la séparation ?

Combien de temps ? De ce temps qui m'a paru si long, sur l'instant. A-t-il duré une éternité, quelques secondes ? Est-ce l'explication de l'incapacité qu'a Etty, mon ange de lumière, de situer, d'évaluer le temps ? Il me semble souvent que le temps n'existe pas dans le ciel.

Je n'oublierai pas Athènes, pays des dieux. De cette petite campagnarde à la femme de ce soir-là, une boucle a été bouclée. Grâce à l'émerveillement de mon vécu passé et à ses lendemains pleins de promesses d'amour.

LES MESSAGES DU CIEL

LES MESSAGES SPIRITUELS

La connaissance est liée à l'évolution de chacun ; il me semble que si nous en possédons un peu, notre parcours de vie terrestre est plus simple. Il suffit peut-être d'ouvrir nos yeux, nos oreilles, nos cœurs, à la lumière spirituelle.

Comment faire pour être à l'écoute... à l'écoute du ciel, à l'écoute des étoiles, à l'écoute de la terre, des arbres et des oiseaux, à l'écoute de l'autre, de sa souffrance et de sa joie ?

Vivons pleinement, car le souffle de l'esprit se manifeste partout, il renverse toutes les barrières. Au cœur de l'univers est une force éternelle et magique ; il faut nous nourrir de quelques parcelles de cette puissance infinie, pour que se lèvent des matins plus lumineux, plus féconds pour chacun de nous, et pour que la joie nous permette de mieux vivre.

À la demande de nombreux groupes d'accompagnement et avec l'autorisation d'Etty, je terminerai ce livre par la publication d'extraits de messages qui tous viennent du ciel. Nous les avons reçus pendant la période que j'ai appelée « l'initiation » et qui a duré dix ans, dans le secret absolu ; il nous était interdit de dévoiler cette merveilleuse aventure, qui a fait basculer notre vie à tout jamais, période vécue

205

dans la prière, le sacrifice de nos situations sociales, de notre nécessaire. Période aussi d'étude des grandes lois cosmiques ou morales, ces lois que nous ignorions totalement, qui ne nous intéressaient pas du tout et qui devraient être enseignées et surtout pratiquées dans toutes les religions.

Après ces dix années a suivi une autre période de quinze ans, nous avons fait de petites réunions de travail, avec l'aide des médecins du Ciel et les premiers médecins de cette terre, autour de gros malades.

Tous nos braves compagnons, gens de bonne volonté, qui ont assisté par leur présence, apporté leur aide aux malades gravement atteints, ont entendu, comme nous, les messages du Ciel. Ils ont vécu ces expériences inoubliables, bouleversés par la simplicité et la grandeur de cet enseignement. Ils ont vibré avec nous, pleuré avec nous, et n'ont jamais oublié. C'est avec eux que j'ai commencé ce livre à l'occasion des soixante-dix ans de Daniel. Certains sont partis, vu leur âge, pour le pays de la lumière ; mais je suis sûre de leur présence toutes les fois que nous avons besoin d'eux.

Ils sont comme les gardiens du seuil, près de la porte du « paradis », ouvrant leurs bras à chaque voyageur qui atteint le pont...

La médiumnité à incorporation est une faculté extraordinaire qui permet de communiquer entre les deux mondes ; le médium est un instrument, comme le téléphone, la télévision, et qui fonctionne sous certaines conditions : le silence, la prière, la méditation, l'évolution de la pensée, le don de soi à Dieu, aux hommes, dans la gratuité totale.

Il m'est difficile d'accepter des phénomènes médiumniques programmés, qui se manifestent dans la cohue, après un bon repas, dans une salle publique, dans le tumulte, par ces « soi-disant guides spirituels » qui assistent des « pseudo-médiums » dans un climat agité.

La médiumnité, pour Daniel et moi, qui la vivons au quotidien depuis quarante ans environ, est sacrée. C'est un service, au service de...

Les messages choisis sont compréhensibles par tous pour leur simplicité. Je n'oublie pas qu'il m'a été demandé d'être la première porte poussée vers la foi en la vie éternelle, pour celui qui ne croit pas, la première marche montée de l'escalier géant vers l'infini.

Il m'est impossible de commenter ces messages ; celui qui les lira les recevra, les comprendra à son niveau ; chaque phrase, chaque pensée, pour certains extraits, peut être une base de méditation.

Ces messages viennent d'« habitants », du monde invisible à nos yeux, qui ont vécu sur la terre et restent ou viennent près des humains, pour les aider ; ce sont des intermédiaires entre Dieu et nous.

Je demandai un soir à un ami théologien : « Avons-nous le droit d'accepter cette aide ? Ne retarde-t-elle pas inconsciemment la marche vers Dieu, la libération de ces êtres morts à notre monde ? » Il m'a répondu : « Jésus et Marie sont aussi " des morts ", ils ont vécu sur la terre. Est-ce une raison pour ne pas les prier ? Ou demander leur intercession ? »

Bien sûr, nous ne pouvons tout comprendre, prétendre tout expliquer. Plus nous avançons dans la vie, plus nombreux sont les contacts avec le Ciel, plus nous nous sentons petits, incroyablement minuscules devant l'immensité. Nous ne pouvons imaginer le nombre d'étoiles, la vie des mondes qui nous entourent, les niveaux de conscience différents de ceux de l'homme. Mais ce dont je suis certaine, c'est que ceux qui s'aiment ne sont jamais séparés ; l'amour est éternel, la vie est immortelle, même si les étapes n'ont pas pour nous tous la même dimension. Alors pourquoi voulez-vous que ceux qui partent dans un monde nouveau, ou un « sur-monde », abandonnent ceux qu'ils ont laissés ? Qu'ils n'essaient pas de les aider à leur demande ? L'amour et la compassion ne s'éteignent jamais.

Les paroles du Ciel qu'apportent les messages divins n'ont pas d'autre but que de nous aider à prendre conscience de la valeur de notre vie, de nos actes même les plus simples, pour grandir spirituellement.

Je publie ces messages avec beaucoup d'émotion ; certains sont anciens, ils datent des débuts de notre initiation. Pour tous les membres des groupes d'accompagnement, ils seront une source de réflexion sur ce travail plein d'amour et de fraternité qu'ils accomplissent dans le silence, avec tout leur cœur.

Je souhaite à tous ceux qui pratiquent une religion de trouver la concrétisation de l'enseignement qu'ils ont reçu, pour comprendre que tous les hommes sont frères, et qu'ils se retrouveront dans un même amour universel en se donnant la main, non dans la haine, non en infligeant la loi du plus fort, ou le bruit des bombes. On ne construit pas sur les ruines, sur le malheur ou l'intolérance.

À tous ceux qui sourient, à ceux qui pensent que nous sommes de doux rêveurs, je souhaite qu'ils se souviennent, au moment de leur départ pour l'autre rive, de la sagesse de certains textes.

À tous ceux qui les liront, je les offre avec amour.

LA JOIE QUI SOULÈVE LES MONTAGNES

Qu'ils puissent apporter dans des moments de souffrance la sérénité et, dans les moments heureux, la joie qui soulève les montagnes.

EXTRAIT DE MESSAGE

Je suis un simple ambassadeur de l'espace, qui a pour mission de vous aider, vous guider, vous apporter un peu de connaissance.

Nous n'exigeons pas.

Nous n'imposons pas.

Nous ne condamnons pas.

Nous ne jugeons pas.

Nous dispensons seulement des matériaux utiles à votre évolution.

À vous de faire un choix correspondant à votre attente, suivant le degré de votre évolution.

Chacun ici-bas doit trouver sa vérité, sans se couper du reste du monde.

La vérité est UNE et TOTALE à la fois. Mais qui, dans votre univers, peut se vanter de la connaître pleine et entière ?

Revenons à plus de modestie.

La vérité, où est-elle ? Elle n'est pas seulement au sommet de la pyramide de lumière, si elle en est la finalité, elle commence par la base. Dans votre vie de tous les jours.

Dans l'équilibre des forces qui vous entourent.

Entre le positif et le négatif.

Le Yin et le Yang.

Le jour et la nuit.

Le bonheur et la souffrance.

Le fini et l'infini.

À chaque étape de la vie, de la naissance à la mort.

De la naissance ULTIME au retour à la source.

L'homme du xxe siècle a un besoin impérieux de se raccrocher à quelque chose, de découvrir et vivre le divin message.

Accordons nos pensées pour un même amour universel.

La rencontre avec Dieu se fait sans bruit, dans le silence, elle peut changer le cours d'une vie.

EXTRAIT DE MESSAGE

Que l'on soit princesse ou simple servante, il faut être bien chaussée pour passer la porte au moment du départ...

Si vous saviez combien d'êtres que l'on croit « quelconques », parce que silencieux, se révèlent des êtres merveilleux en franchissant la porte.

Lorsque nous aurons terminé notre route, il n'y aura plus besoin de porte de souffrance.

Tout sera vie, tout sera lumière, chaque parcelle de notre être aura atteint lumière, rayonnement.

Lumière de lumière, tout sera vrai.

Ne croyez surtout pas que la souffrance est l'apanage de ceux qui ont accumulé les erreurs.

La souffrance est souvent le plus court chemin qu'un être ait décidé d'emprunter pour soulager le poids du monde, quelques heures, quelques années.

Imaginez un être concentrant sur lui toute l'ignorance du monde, la boue du monde, la cruauté du monde, par amour du monde.

Vous direz : pourquoi souffrir ?

Trouvez un autre moyen pour faire entrer le clou dans le bois, sans taper.

Peut-être aurez-vous la solution !

Il existe des êtres de souffrance, des compagnons

d'un nouveau monde, des terrassiers de la nouvelle terre, des hommes du futur, des êtres porteurs de lumière.
Priez avec eux.

EXTRAIT DE MESSAGE

Légère je quitte ce monde, j'abandonne à la terre la gloire, les honneurs, le respect.

Ne m'attristez point, vous qui m'aimez. Séchez vos larmes car les miens m'attendaient et mon cœur est comblé. Avec vous je suis, avec vous je reste.

Cependant je me sens triste. Le monde est en folie, le monde est en colère. Je vois des guerres, des crimes, du sang, des innocents en larmes. Arrêtez, de grâce !

Le moment est venu, enfants de mon peuple, d'accueillir ton frère fugitif. Donne un lopin de terre, partage ta maison, partage ton pain et ton sel, et vous mes amis chrétiens et musulmans, dans le clair matin, à l'appel des prières, mettez ensemble le front et le genou à terre. Entendez ma voix, entendez mon appel, demain est une autre vie, demain est un autre jour, de paix, d'abondance et d'amour. À genoux, Seigneur, avec eux, je supplie que Ta main soit légère, qu'un repentir profond éloigne enfin la malédiction, qu'au firmament du monde Ton étoile se lève, et tout comme autrefois fleuriront nos déserts et renaîtra la vie dans des larmes de joie, car c'est l'ordre établi.

EXTRAIT DE MESSAGE

La grande carence du monde moderne est de croire en la Mort. Méditons ces paroles, que ces accents soient présents en nos esprits.

Gardons-nous de ne pas croire à l'au-delà. Le salut du monde viendra de la croyance et de la prière.

Un jour les hommes découvriront les vertus de la prière, de la foi en un monde inconnu d'eux. Alors un grand pas sera fait en direction du bonheur, que chacun trouvera en son cœur à soi, non dans les actes des autres. J'aiderai ce groupe, je veux l'honneur de me compter parmi vos guides. Il y a dans l'au-delà des richesses insoupçonnables qui existent aussi dans le cœur des humains.

Bénissez la chance qui peut vous être donnée de ramasser les miettes de ces richesses, elles vous placeront dans l'état intermédiaire entre ce qui est et ce qui sera.

EXTRAIT DE MESSAGE

On doit se recueillir devant ce qui est grand et beau. Devant les temples, les cathédrales, les pyramides, les vestiges du passé, de civilisations brillantes non éteintes qui poursuivent leur évolution dans d'autres univers.

Dans ce sanctuaire modeste de fraternité, je me recueille ce soir pieusement. Cette cellule vivante est digne de respect, car ici on prie, on agit, on souffre, on espère et on guérit. C'est l'espérance d'aujourd'hui et de demain.

L'invisible est là, dans cette assemblée, il la remplit de sa présence, l'anime de son esprit. Il en est le conseiller, l'ange fidèle, vous en êtes le phare.

Portez notre message.
Il sera la consolation des âmes qui cherchent. La réconciliation des hommes de bonne volonté. Partout où il parviendra, se lèvera un souffle de spiritualité.

Il faut qu'un cantique nouveau de délivrance balaie la cohorte des misères de votre pauvre humanité.

EXTRAIT DE MESSAGE

Tu es né, Seigneur, avec Toi la lumière divine est devenue palpable sur le monde.
Tu es né, et toute la Création a frémi.
Ton amour infini a fait battre le cœur de l'univers.
Tous les hommes ont su qu'ils étaient frères.
Ton cœur a battu pour chaque créature, depuis nul n'est déshérité.
Tu es né, Tu vis éternellement d'amour avec chacun.
Tu vis chaque instant d'éternité avec le riche, le pauvre, le malheureux, le malade, l'infirme.
Tu aimes, Tu guides, Tu consoles, Tu guéris.
Tu guéris, Tu consoles, Tu soutiens.
Il faut que chacun de nous sache que Tu es en lui.
Tu ouvres la porte de toute guérison, de toute réussite quand elle est guidée par l'amour.
Quand l'amour fait battre le cœur de l'homme, des larmes de joie inondent le Tien.
Tu es né.
Tu as marché avec nous dans le monde, Tu as tracé les chemins de vie.
Seigneur, que Ta lumière vive toujours en mon âme.
Que mon cœur guide mes bras à des actions de vie, en offrande de reconnaissance, de gratitude envers Toi.

LA JOIE QUI SOULÈVE LES MONTAGNES

Tu es né en cette nuit étoilée de Noël lointaine et toujours présente.

Tu es né à ce monde, allant au-delà de Ton sacrifice, à seul fin de nous faire renaître.

EXTRAIT DE MESSAGE

Qu'il est long le chemin que certains creusent.

Qu'elle est importante cette voie tracée depuis longtemps qui n'aura pas de fin.

La voie est ouverte à jamais, aucun être, quel qu'il soit, ne pourra la refermer.

Si Dieu vous a placés ici, non ailleurs, n'en cherchez pas la raison, Dieu seul est le Maître.

Soyez toujours sur le chemin tracé, poursuivez votre route.

N'oubliez jamais que vous êtes hommes, asservis aux tâches matérielles, liés à la terre.

N'oubliez jamais que la prière vous donne la force de faire face.

Il vous sera toujours plus demandé, de calme, de foi, de sacrifices, pour aider le monde.

Que votre prière soit vaste, ample, universelle, céleste, qu'elle englobe tout et tous.

Pour que cet instant soit silence, paix, espérance, en votre esprit.

EXTRAIT DE MESSAGE

Vous appartenez à la communauté humaine, il est important pour l'être que vous êtes de ne pas vous sentir isolé.

Allez vers vos frères.

Si l'un vous rejette, l'autre vous aime.

Aidez-vous les uns les autres pour être plus heureux.

Soyez bénis, vous qui avez accepté.

Soyez bénis, vous qui avez promis. Vous qui marchez en vous donnant la main.

Vous êtes engagé par votre foi, vis-à-vis de vous-même, vis-à-vis des autres, vis-à-vis de Dieu.

Cette promesse, faite dans le secret de l'âme, vous a liés, anciens, nouveaux, d'ici, d'ailleurs, d'hier, de demain, à marcher, à avancer ensemble.

Soyez fiers d'être unis.

Bénis soyez-vous de pratiquer la charité.

EXTRAIT DE MESSAGE

Ne prêchez point dans un désert aride, souvenez-vous des perles données aux pourceaux !
Mais répondez à la quête solitaire et hésitante du voyageur qui chemine.
Ainsi, dans ce monde perdu, vous serez nos jalons de lumière.
Votre objectif est précis.
« De bouche à oreille », laissez couler un peu de votre savoir.
L'expérience d'un passé révolu vous dictera les mots pour essayer d'analyser un des thèmes fondamentaux de la nature humaine, cette clé de voûte que peut être, dans la vie d'un homme, la découverte de la foi.
Faire acte de foi, quel plus bel étendard pour les enfants du Père, mais il faut parfois en découvrir le mécanisme secret.
L'homme naît sur terre pour apprendre à marcher, à parler, à penser, à vivre.
Au cours de sa vie, il peut arriver un moment où un homme sensé d'apparence, nourri de belles lettres, de grec, de latin, se sente soudain frappé d'un sentiment de faiblesse, d'inutilité, d'infiniment petit face à l'univers qui l'écrase, un éclair de raison

secoue sa conscience en sommeil. Il faut un sens, un but à son existence pour accepter le quotidien, se réaliser dans son unité d'être humain, se dépasser. Inconsciemment, il ressent, venues d'ailleurs, des forces immenses qui le pénètrent.

Ajoutons à cela l'angoisse de la mort. Alors va naître un sentiment en lui, un élan irraisonné vers le surnaturel, l'invisible. Puis vient la conviction de l'existence d'une force supérieure, d'un Créateur, qu'on nomme Dieu, le Tout, ou l'Absolu.

L'homme cherche. Depuis Platon nous savons que les pensées, ces idées archétypes, propulsées sous forme d'images existent bien dans leur essence vérité mais non dans la réalité concrète, que vous connaissez sur le plan terrestre incomplet.

Sources d'énergies créatrices, potentiel d'action, ces pensées élaborées par le psychisme de l'homme vont sous l'effort d'une volonté, au moyen du cerveau, se matérialiser.

Dès lors, la machine est en marche, procédé subtil d'où va naître un désir irrésistible d'infini, d'osmose de conscience à conscience.

Croire à la rédemption est une merveilleuse planche de salut.

Ainsi sont allumées les flammes de l'esprit, ainsi commence l'évolution.

Ainsi peut naître la foi de l'homme, cette foi que nul ne peut envisager sans une communion pleine, entière avec Dieu, mais avec tous les peuples de la terre, quelle que soit leur couleur de peau.

Cette foi qui bouleversera un jour les fondements millénaires d'une civilisation décadente, pour s'épanouir dans un monde nouveau, riche de promesses.

Chacun saura que vérité et réalité sont dans ce même tout qu'est le royaume de paix, d'AMOUR.

EXTRAIT DE MESSAGE

Seigneur, prends ma main,
Et guide mes pas incertains.
À l'aube de ce sublime éveil,
Radieuse je contemple Ton ciel.
Au grand jardin d'Allah, tout est bonté,
Amour, tendre sollicitude.
C'est l'Éden perdu et enfin retrouvé,
Le chemin de lumière peuplé de certitudes.
Comme il est doux de rafraîchir son âme,
À Ta source limpide, à ce bain de jouvence.
Comme il est doux de faire jaillir la flamme,
De ce vieux cœur éteint mais gonflé d'espérance.
Au fond de l'escarcelle de ma vie passée
Restent un peu de bonté, un peu de charité.
Un brin de compassion, mais tellement d'insou-
ciance,
Qu'à tous les temps j'ai conjugué « Ignorance ».
Mais Tu m'as dit : Vois, et je vois.
Écoute, et j'écoute.
Enfin Tu m'as dit : Va, et je vais.
Car maintenant, je vois, je crois, je sais.
Et quand partir je devrai un de ces lendemains,
Pour un autre voyage au pays des mosquées.
Là où Ton souffle tiède berce nos oliviers,
Alors, Seigneur, merci de me prendre la main.

EXTRAIT DE MESSAGE

La recherche de la Vérité ne doit pas être une fin
en soi, car elle est vaine et annihilée par sa propre
relativité.

Ce n'est pas un moyen qui vous est donné pour
« apprendre » à croire, apprendre et saisir l'aspect
caché des choses qui nous entourent.

Le vide est plein de richesses. Il est plus difficile à
faire que le plein.

Lorsqu'il vous est dit « Élevez vos pensées vers
DIEU », c'est une métaphore. DIEU magnifiant
l'esprit accessible ou non à l'esprit terrestre.

Élever sa pensée c'est se mettre en état de disponibilité intérieure, c'est se dépouiller de son jugement
pour devenir la vasque qui reçoit les rayons venus
d'ailleurs : cet ailleurs que nous appelons l'Univers
ou nulle part.

Les Compagnons doivent puiser auprès de leurs
chefs spirituels les forces nécessaires à ce vide enrichissant. Ils ne doivent pas penser mais se laisser
envahir par la « Pensée ».

Les Compagnons du Christ se rendaient humble-
ment disponibles et ne tiraient jamais orgueil de
cette facilité, la plus grande, la plus belle, la plus
difficile pour un humain.

Il n'y avait pas et il n'y a toujours pas de secret. Ils savaient éviter les mots mêmes de pensée et de recherche, tous les mots qui impliquent, en fin de cause, une division. C'est pour cela que furent créés les symboles, les signes, dont la signification avait un caractère sacré. Ils laissaient, mieux que les mots, les possibilités d'une interprétation personnelle, selon le degré d'évolution, de disponibilité dans son mystère, par les multiples façons de les lire.

Ils rapprochaient ainsi davantage l'Homme du concept divin dans la liberté de l'intelligence et de la compréhension.

Ne disons jamais « Nous cherchons la lumière », mais ouvrons nos fenêtres et la lumière inondera.

EXTRAIT DE MESSAGE

Nous qui vivons si près de vous, nous ne devons point faillir à la tradition.

L'abondance de nos souhaits, pour vous tous, se concrétisera dans ce credo que nous voudrions partager en frères, alors, ce soir, ensemble donnons-nous la main dans une harmonieuse communion afin que tous les matins se lèvent désormais sous le signe de la lumière et de la connaissance.

Ensemble donnons-nous la main dans le silence, car tout ce qui est beau, tout ce qui est grand se prépare dans le silence. Avant de jaillir au cœur de la prairie la source s'est déjà frayée, sans bruit, un long chemin dans les ténèbres de la terre.

Silence ne signifie pas mutisme. La Création est née, dit-on, après un grand silence et la nuit des temps s'achèvera aussi dans le silence.

Ensemble donnons-nous la main pour mieux nous connaître, pour mieux pénétrer la vraie nature de ce quelque chose qui nous relie, et en retour ce quelque chose, assimilé par nos consciences respectives à l'écoute, pénétrera la nature de nos êtres de matières si différentes dans une indissoluble fusion.

Ensemble donnons-nous la main dans un élan commun pour une même prière, chaque soir, car il existe dans notre monde d'éternité tant de grâce et tant de miracles possibles. Que cette offrande soit l'occasion, un bref instant, d'un examen de conscience quotidien. Accompagnons de notre corps subtil cette prière dans son élévation jusqu'à la pyramide de lumière, véritable réservoir de forces physico-psychiques dans lequel chacun est à même de puiser au moment choisi.

Ensemble donnons-nous la main pour agrandir la ronde fraternelle de cette immense chaîne des vivants et des morts. Notre solidarité vous est toute acquise, pas seulement au nom de la vérité, de la charité ou de la justice, mais au nom de l'amour. Jamais ne naîtra l'amour là où règnent la misère, la faim, le crime, la guerre ; les hommes ne savent plus aimer... alors.

Donnons-nous la main pour aimer. Aimer d'un amour gratuit, toujours grandissant, d'un amour sans mesure, sans faille, jusqu'au renoncement comme nous l'a montré Dieu. Souvenons-nous bien, qu'elle soit terrestre ou dans l'invisible, toute vie comporte la mission d'aimer. Aimer pour mieux comprendre l'autre, pour mieux aider l'autre, celui d'en bas comme celui d'en haut. Aimer pour aimer, pour le plaisir d'aimer, que cet amour revienne à son principe et, refluant vers l'unique source, redescende sur la terre en cascades, sans tarir jamais. Ainsi comme l'ont dit les prophètes, un jour dans un grand souffle d'amour une vague de lumière descendra du ciel, déferlera sur la terre et sur l'eau, enrobant toute chose, et les hommes émerveillés découvriront enfin la matrice mère dans son apothéose, et dans le silence ; en prêtant l'oreille chacun pourra entendre le cœur de l'univers battant son rythme de paradis.

C'était pour vous, ce soir, notre Credo.

EXTRAIT DE MESSAGE

Il est des sites.
Il est des lieux comme inspirés où passe un subtil courant de paix, des lieux où l'on ne sait plus très bien s'ils appartiennent au ciel ou à la terre.
Vous vivez dans un de ces lieux imbibés par la prière et l'espérance.
Imbibés d'un souffle privilégié dans le silence, au moment de la prière, qui défie le temps, que vous pouvez respirer.
Message après message, pendant tant d'années.
Vous vous retrouvez dans cette immense chaîne d'amour qui fait le tour de la terre.
Cette chaîne qui commence à porter ses fruits.
Dans le processus d'évolution spirituelle, le temps n'a aucune réalité concrète.
Mais, un jour, cette chaîne peut être un immense éveil pour bien des consciences.
La valeur humaine est indispensable à la vie d'une société qui doit s'épanouir.
Fusionnent alors cœur, sagesse, intelligence, justice, intégrité, pour le plus grand bien de tous.

EXTRAIT DE MESSAGE

Je viens en messager de Noël.
Noëls d'autrefois enfouis dans la nuit des temps.
Noëls des futurs, dans un monde enfin lumineux,
tout feutré de bonté, d'espérance.
Terre de mes ancêtres.
Terre de mes incarnations passées.
Terre des Gaules. Terre de France, des millénaires
de croyants, de prières, t'ont forgée, t'ont pétrie, tu
es le peuple des bâtisseurs de cathédrales, le peuple
de charité des missionnaires, le peuple qui a donné
au monde chrétien le plus de héros, de martyrs, de
saints.
Dans mes mains offertes, je porte l'âme de votre
pays.
Combien de mes compagnons ont apporté aux
hommes ce message extraordinaire, comme un
conte de fées.
Il était une fois, au royaume sublime, le royaume
merveilleux de la révélation, l'amour infini de Dieu
pour Ses créatures.
Quelle plus belle preuve d'abnégation que Son fils
offert en holocauste, caché derrière ce symbole
d'humilité, d'innocence, que cet enfant roi, couché
nu sur la paille d'une étable miséreuse.

Miracle de tous les Noëls, sans cesse renouvelé à l'infini, qui permet au monde de s'agenouiller, de prier devant une crèche pour y ressourcer sa foi. Je vous laisse l'étoile du Messie, l'étoile d'espérance, étoile de Noël.

Terre de France, à tous ses hommes joyeux, saint Noël.

EXTRAIT DE MESSAGE

ESPÉRANCE

Enfants, quand le ventre creux dans la misère, oubliés, par la souffrance se voilent vos yeux, dans le monde tous les enfants se ressemblent quand sur des joues blondes, sur des joues brunes coulent des larmes.

Espérance, mon cœur pleure.

Mères, quand dans la détresse et l'angoisse, age-nouillées, vos pauvres mains se joignent dans un ultime appel, dans le monde toutes les mères se res-semblent quand à genoux elles prient.

Espérance, mon cœur prie.

Soldats, quand dans la nuit sombre et glacée, les doigts crispés sur l'acier des fusils, vous attendez la mort sans trop savoir pourquoi, dans le monde tous les soldats se ressemblent, quand de peur ils trem-blent.

Espérance, mon cœur tremble.

Hommes, quand dans la poussière vous tombez, lâchement frappés par vos frères, ce sang qui coule de vos blessures, dans le monde tous les hommes se ressemblent quand coule du même rouge leur sang.

Espérance, mon cœur saigne.

Sous l'échelle du temps vient d'éclore une rose, année nouvelle ton autre rive sera bientôt lumière, dans le monde pour que le cœur des hommes ne soit plus jamais désert et ténèbres où l'enlisent des regrets.

Espérance éclaire leur chemin.

Alors chante mon cœur comme autrefois,

Sans ma guitare et sans ma voix,

Et mon cœur chante parce que je crois,

Dans l'amour et l'amitié, espérance je crois,

Dans le monde aujourd'hui, tu n'es qu'une prière,

Mais dans la paix du ciel, tu renais demain : ÉTERNELLE LUMIÈRE.

EXTRAIT DE MESSAGE

Qu'avons-nous réalisé ? Sommes-nous en accord avec notre conscience ?

Qu'avons-nous accompli cette année ?

Sommes-nous heureux d'être ensemble, main dans la main ?

Nos regards pendant quelques minutes, quelles que soient nos religions ou nos idéologies, sont-ils tournés vers le même horizon spirituel ?

Les enseignements apportés ici ont-ils contribué à l'amélioration de notre vie courante ?

Est-ce que vos réflexions, vos possibilités, votre foi ont été appliquées dans vos actes ? Est-ce que votre vie familiale est sereine ?

Avez-vous fait face aux engagements que vous avez pris ?

Avez-vous, par votre présence et votre amour, semé le bonheur autour de vous ?

Par le seul fait d'avoir aidé des êtres de toutes vos forces, que le plus souvent vous ne connaissiez pas, vous êtes-vous amélioré ?

Est-il agréable de continuer ? Est-ce que votre comportement de tous les jours est meilleur que celui d'avant ?

Avez-vous bien compris l'importance de la communion qui vous relie, la force de votre prière ? Vous êtes-vous libérés de vos malentendus, de vos contraintes ?

Si difficile que soit votre vie, si dures soient les peines, ne sont-elles pas éclairées, allégées par plus de connaissance ?

Le sacrifice qui vous est demandé de votre présence régulière, ici, ne contribue-t-il pas à vous rendre meilleurs ?

Il n'y a qu'un apport qui puisse être utile à l'être humain, qu'une référence qui puisse lui servir, celle qui consiste à faire de lui ce que nous sommes, des êtres plus humains, plus compréhensifs, plus ouverts à ce qui nous entoure.

EXTRAIT DE MESSAGE

Quand tu ne seras plus rien, quand tu auras effacé à tout jamais toutes les aspérités de ce corps, quand anéantissant toutes les humeurs, les impressions, les actes, les créations passées, quand tu n'existeras plus, quand tu t'anéantiras toi-même, alors il restera le tout, tu resteras.

Tu resteras cette parcelle divine, unique échantillon de la Création divine, et tu seras, et tu établiras alors l'harmonie totale entre toi et l'Être éternel qui a pourvu à toute création. Mais alors, alors seulement, tu comprendras que tu n'es plus rien et ta totalité tu ne l'obtiendras que dans et par la totalité.

Donc alors tu comprendras que ta vie d'étincelle divine est ici-bas au service du tout et que, à nouveau, ton effacement sera nécessaire, car ici-bas il n'est pas question de briller de l'éclat pur.

Ton effacement alors sera la marche lente de celui qui sait et sait pourquoi il marche. Ton effacement ne sera que l'apparence que les autres verront de toi. La vie naîtra alors. La vie sera alors et l'entière existence conquise, lien constant et éternel avec le monde qui crée et d'où toute initiative créatrice part.

Porte donc au creux de tes mains, au creux de ton

cœur cette étincelle ainsi qu'il te le permettra en ce parcours, mais n'oublie pas que plus éclatant sera le brillant, plus petit, tout petit, plus humble tu seras et, de plus en plus effacé, tu marcheras pour l'accomplissement de sa volonté aujourd'hui comme hier, à jamais.

Ce parcours peut être aussi court que l'éclair, aussi long que le tout des univers, qu'importe puisqu'il est.

EXTRAIT DE MESSAGE

Levez vos yeux vers le ciel.

Levez vos yeux vers le Tout-Puissant, c'est de Lui seul que viendra la lumière.

La paix, la délivrance, est accordée à ceux qui cessent de se concentrer sur eux-mêmes et leurs misères.

L'épreuve ne doit pas prendre la première place dans la vision spirituelle.

La relation avec le Royaume passe par l'oubli de soi, l'humilité.

Levez les yeux, de vos âmes, avec persévérance, avec foi, demandez à Dieu l'aide.

Il mettra en vous une force nouvelle créée par Sa présence, vous rendant capables de réaliser des actes jugés impossibles. Pour dépasser le destin choisi, pour une vie nouvelle, plus féconde, plus remplie.

Le royaume de la lumière est un don, qu'il faut savoir mériter. Y préparer avec amour son entrée, personne ne le possède sur la terre. Il reste à mériter jusqu'à la fin. Vous disposez dans vos mains d'une baguette magique, une clé, c'est la prière, instrument que Dieu a donné à toutes Ses créatures. Priez, réalisez le dialogue avec Sa conscience et la conscience universelle, pour une communion plus étroite avec le divin. Ceux qui savent le mériter y retrouveront, symbolisés, les prétextes de l'amour universel. Vous comprendrez la transparence d'une substance subtile, fruit mûri sous d'autres cieux, dans d'autres vies passées. Les intuitions, les pensées, prendront forme dans ce nouvel horizon, si une certaine magie s'est perdue, il vous en reste une autre à créer.

Tous les souvenirs fugaces du grand jardin de la sagesse, les images du « déjà-vu », les signes qui vous interrogent sur les correspondances secrètes des réalités, cachées dans la mémoire du temps, d'un autre monde...

Écoutez, au-delà des phrases, les mots d'une tonalité, juste en accord avec les vibrations de vos cœurs, de vos âmes, car chaque mot à lui seul est un monde nouveau qui se crée, une force indélébile imprimée dans le cosmos.

Posez les jalons de la grande chaîne de solidarité qui fait tant défaut aux hommes de la terre.

N'oubliez jamais que vous êtes des mutants, que pour mieux vivre il vous faut amour, espoir, et découvrir passage après passage le chant de vie et de mort.

Liés à jamais, afin d'interpréter à votre façon la musique des cieux.

Que vous puissiez dire, quand sonnera l'heure du grand voyage, face au miroir de votre vie, en toute sérénité :

« Mon Dieu, s'il était à refaire je referais le même chemin. »

EXTRAIT DE MESSAGE

Souffrance, qui es-tu ?

Souffrance, pourquoi frappes-tu aux portes ? Es-tu notre passé qui nous suit ? Es-tu notre péché ? Es-tu le chemin de l'Éternel ?

La souffrance : un mot qui pèse lourd, dans les bouches. Un mot qui est lourd à supporter dans le corps.

La souffrance : elle commence au souffle du bébé, à l'instant de sa première vie, à l'instant de son premier cri.

Souffrance ! Tu es là quand l'enfant tombe... quand il perd sa première dent...

Souffrance ! Tu es là devant l'adolescent lorsqu'il s'éveille devant un monde sanglant.

Souffrance ! Tu conduis l'homme pas à pas, le fardeau lourd sur les épaules, vers les sillons de notre terre.

Souffrance ! À chaque instant, à chaque vie.

Souffrance des longs jours pour avoir un enfant.

Souffrance des longues heures pour mettre au monde un enfant.

Souffrance d'une mère qui ne peut s'en occuper.

Souffrance d'un enfant qui souffre de voir souffrir sa mère, qui souffre d'être la cause involontaire de cette souffrance.

Souffrance de ne pas sentir les caresses et le corps de sa mère.

Souffrance qui sera, avec le temps, avec l'éloignement, avec l'oubli, le grain de sable pour cette vie éternelle. Mais souffrance... Merci !

Parce que par toi, parce que avec toi, l'on comprend le monde souffrant, l'on comprend une mère qui souffre et l'on comprend un enfant qui a besoin de sa mère.

Souffrance ! Tu es impitoyable, mais tu nous conduis vers le chemin où Dieu seul sait nous recevoir.

Souffrance des nuits, souffrance des jours, souffrance du moment, souffrance passée, souffrance à venir. Tu es une lutte et tu nous obliges à lutter, souffrance, tu nous aides à penser. Tu nous aides à nous redresser, parce que après la souffrance il y a la délivrance.

EXTRAIT DE MESSAGE

Il semble que nos répétitions soient à la longue lassantes, mais elles sont utiles car, d'une réunion à une autre, avez-vous appliqué ce qui vous a été demandé ?

Vous mangez tous les jours, vous avez besoin de nourriture terrestre, vous avez besoin de nourriture spirituelle.

Il est important que vous gardiez votre courage et votre caractère enjoué, pour continuer le travail commencé.

Ici beaucoup ont retrouvé la santé, beaucoup ont retrouvé la foi, l'espoir, l'envie et la raison de vivre une vie nouvelle. Continuez.

Entretenez la flamme qui jaillit et resplendit dans l'immensité.

EXTRAIT DE MESSAGE

Vous cherchez à répandre autour de vous ce que vous avez reçu, la générosité, la charité. Mais je crains que certains, malgré leur foi, ne courent à la faillite, s'ils n'ont pas compris que la véritable vie est la vie spirituelle.

Beaucoup d'êtres se croient spiritualisés, alors qu'ils se servent de la spiritualité pour des plaisirs matérialistes ; s'ils ne réagissent pas, ils verront la décadence s'ensuivre irrévocablement.

Ne vous laissez pas endormir par des propos pompeux, ne cédez pas à l'appel du gain, de l'orgueil, de l'ambition ; ne vous laissez pas égarer par des théories trompeuses, vous ne laisseriez alors dans votre sillage qu'un cortège de larmes, de souffrances, de misères parfois.

Combien d'êtres ont perdu tout profit spirituel, toute évolution, parce qu'ils n'ont pas su ou pas pu maîtriser tous leurs instincts ; pourtant ceux-là même ont connu l'émerveillement de la contemplation, ces instants même fugitifs ont procuré une telle sensation de bonheur qu'ils ont pris de bonnes résolutions et se sont tournés vers la terre en acte de soumission, de contrition, puis la tentation est revenue avec la chute.

Chacun doit faire un effort personnel, la vie qui passe et fuit nécessite un effort continuel, toujours supérieur à celui qui vient de s'accomplir.

Chaque étape vers l'évolution est une victoire personnelle, gardez votre calme, rayonnez davantage, soyez maître de vos actes, répondez par la gentillesse à l'injure.

Ceci est votre véritable richesse, suivez l'exemple de ceux qui ont œuvré pour les autres, faisant parfois le sacrifice de leur existence. En suivant leur exemple, vous comprendrez que le faire c'est entrer dans le royaume de Dieu.

EXTRAIT DE MESSAGE

Ce que je vois ici ce soir est une forme presque parfaite de la pyramide, un peu lourde à sa base, l'avenir lui permettra de s'alléger et de se dénuder de toutes contraintes.

Je vois ce soir votre assemblée comme nulle part je ne l'ai vue, on dit cosmopolite je crois, c'est-à-dire issue de toutes les branches des peuples qui traversèrent les terres et amenèrent leurs parcelles de vérité.

L'hétérogénéité de tout ce monde fait qu'il y a « un bouillon de culture », un foyer révélateur d'une genèse nouvelle.

Cette pyramide est majestueusement révélatrice d'une nouvelle « forme d'être », d'une façon de penser, révélatrice d'une conscience de conscience.

Dans le nouveau creuset se forme le nouveau monde, dans cette perception qui semble si lointaine parfois, nous allons écouter enfin la même Voix, le même Silence, la même Parole.

Ne perdez jamais courage, continuez l'œuvre, dans le sens de la corrélation de tous les êtres de l'Un de Tous, pour la perfection de la pyramide, afin de trouver le point où se concentre le rayonnement de la Source.

EXTRAIT DE MESSAGE

Nous savons que les messages de l'invisible sont soumis à caution. Bien des dogmes affirment qu'ils n'apportent rien à la crédibilité de la foi. C'est une lourde erreur, ils sont la preuve vivante d'une autre forme de vie après la mort.

Nous sommes les symboles de la résurrection, l'autre versant de la vie, démonstration parfaite d'une des lois qui régissent notre univers, la loi d'éternité.

C'est la continuation à l'infini des états de conscience des « décédés » en partance pour une communauté totalitaire et fraternelle, rayonnante force d'élévation conduisant de cycle en cycle vers la perfection.

Certes, Dieu a donné aux hommes la liberté, à ce titre ils peuvent croire en nos messages ou les réfuter.

Toutes nos paroles sont animées du grand souffle, même si nous employons la richesse des images, la poésie du verbe, tout en essayant d'en maîtriser la démesure, chacun peut y puiser à sa demande, sans risque, sans trouble pour l'esprit, ce dont il a besoin.

Pour les uns ce peut être un survol, pour les autres une analyse complète de l'approche de la vérité,

cette recherche-là peut seule vous conduire à ratio-
naliser votre démarche spirituelle.

Sachez lire et relire nos messages, au travers des
lignes il reste toujours assez de semences, assez de
lumière pour retourner la communication avec
l'esprit, ce sont nos âmes qui se parlent, s'appellent,
se répondent, se comprennent.

La lumière triomphe toujours des ténèbres,
n'est-il pas dommage que des hommes déposent
leurs armes sans avoir cherché à se battre, à se
comprendre ?

La prière, la méditation, le silence intérieur, clé
de voûte de toutes les religions, de toutes les philo-
sophies.

EXTRAIT DE MESSAGE

Peut-être est-il important de se réunir tous pour prier ?

Peut-être la nécessité fait-elle qu'en ces jours nous devons être attentifs aux êtres, aux mondes, à la souffrance de la terre, aux lieux de guerre ?

Peut-être devons-nous, en assemblée d'amour, dire à tous ces hommes qui sont torturés que nous les aimons ? Que nous pensons à eux, non à nous.

Peut-être faut-il instaurer l'amour à nouveau sur la terre ?

Peut-être faut-il que la compassion s'éveille en chacun de nous ?

Peut-être y a-t-il urgence ?

Nous jugeons si vite, sur des apparences.

Peut-être devons-nous donner, donner, donner tous les jours, sans juger, sans condamner, sans émettre des paroles qui détruisent, qui séparent ?

Si nous voulons des êtres de foi porteurs de lumière, si nécessaires aujourd'hui à l'établissement d'une ère plus spirituelle de l'être nouveau que nous serons demain :

Il faut beaucoup de prudence à avancer.

Il faut beaucoup de sagesse journalière à vivre.

Il faut beaucoup d'humilité à connaître une parcelle de vérité.

Il faut beaucoup d'esprit et d'humour à résister à l'entraînement facile.

Il faut beaucoup d'amour à rester dans l'amour.

Il faut beaucoup de présence, de tolérance à marcher tous ensemble.

EXTRAIT DE MESSAGE

Le monde risque de courir à sa perte si aucune croyance, aucune foi, aucune force morale ne le soutient, n'aide son évolution, si rien ne freine les désirs matériels, s'il n'est ni réflexion, ni entendement, ni soumission à Dieu, je crains... qu'il ne coure à sa perte.
Je sais que vous tentez d'être meilleurs, plus ouverts, nous vous en savons gré, mais quel est votre apport par rapport à l'immensité ? Bien sûr, un mouvement comme le vôtre, basé sur la liberté de conscience et l'aide à l'autre, n'est pas négligeable, mais il faut, vous m'entendez, multiplier cette idéologie, c'est votre devoir à tous. Elle peut apporter un certain réveil, donner à chacun la possibilité de prendre conscience des réalités de la vie, du pourquoi de la vie.
Imaginez la perte que subissent les hommes qui ne savent pas.
Les chevaux mécaniques n'ont jamais remplacé les chevaux tels que la nature les a créés.
Il faut apprendre à penser réellement.
Il faut respecter les lois les plus élémentaires qui permettent d'être et mieux vivre.
Les fêtes religieuses sont souvent les commémora-

tions d'une initiation religieuse d'un maître à ses disciples. Ce symbole représente le pouvoir, la perception de certains êtres à se mettre au diapason, à établir le contact avec les forces spirituelles ; la possibilité d'un lien entre le monde terrestre et le monde invisible, bien vivant.

Vous avez la chance, vous, dans cette assemblée où voisinent cheveux blancs et petites têtes brunes et blondes, de recevoir des parcelles de message. Les comprenez-vous ?

C'est un privilège d'établir le dialogue avec ceux qui nous ont précédés, qui seront à nouveau, qui perpétueront la race, l'espèce, la conscience de l'humanité.

Aujourd'hui le psychiatre remplace Dieu ; il faut tenter d'apporter un remède, sinon notre période actuelle est une période de déclin. Une ère nouvelle doit s'ouvrir.

Il ne s'agit pas de rejoindre votre monde avec des connaissances révolutionnaires, de discuter sans fin théologie, accepter ou rejeter l'existence de Dieu ; le sacrifice de quelques-uns ne suffit pas dans l'indifférence totale des autres, pour que l'évolution se réalise.

Il faut simplement savoir aimer, comprendre et accepter les autres hommes.

Il faut plaindre ceux qui rejettent tout ce qui est en dehors de leur propre croyance.

Il faut plaindre les orgueilleux qui discourent à leur gloire.

Il faut plaindre les lâches qui savent et se taisent.

Il faut plaindre celui qui ne reconnaît pas dans l'homme son frère.

Il est facile de pérorer.

Il faut un minimum de charité, de raison, savoir faire un minimum d'effort.

Espérons que la sagesse l'emportera grâce à l'ESPRIT.

Il court où il veut.

Il souffle où il veut.

Il se pose où il veut.

Il est capable d'emplir de joie, de bonheur, le cœur de millions et de millions d'êtres.

ANNEXES

MAGUIZINE

Petite histoire de la création du journal *Magui-zine* * par son directeur Michel Roussel, médecin.

« Je connais Maguy Lebrun depuis longtemps, très longtemps, bien avant la première émission de télévision, bien avant la parution du premier livre, événements précurseurs de cette sorte de raz de marée que nous avons connu, de cette adhésion massive aux idées et aux idéaux tout simples défendus par Maguy, à savoir essentiellement l'aide gratuite et anonyme, la prière et la ferveur pour accompagner des malades, des personnes souffran-tes. Ayant vécu cet événement de l'intérieur, il me reste beaucoup de souvenirs, d'anecdotes, mais il me semble difficile de percevoir entièrement son impact réel. Il faudra un certain recul du temps pour appré-cier l'importance des efforts et du travail accomplis.

« Quoi qu'il en soit, après avoir participé aux réu-nions du groupe de Grenoble, il m'a semblé tout naturel de créer et d'animer un groupe local dans ma bonne ville de Bourgoin-Jallieu, ville de 23 000 habitants, située entre Lyon et Grenoble. Pour ce

_____

* *Maguizine,* B.P. 41, 38311 Bourgoin-Jallieu Cedex.

faire, avec quelques amis, nous avons constitué une association officielle, dénommée MAGUI (Mouvement d'Accompagnement vers la Guérison et l'Unité Intérieure), en hommage à Maguy, avec une petite variante, car il était difficile de caser le " y ".

« Nos débuts furent volontairement très modestes, avec un nombre réduit de participants dans un petit local, mais paradoxalement apparurent très rapidement les vertus essentielles qui font notre particularité et notre ciment : solidarité, complicité, simplicité et très grande disponibilité. Ensuite comme il a été écrit dans le *Maguizine* numéro 8 lors de la présentation du groupe : " Durant ces huit années, le groupe a fluctué en nombre, en personnes, mais il a toujours gardé un noyau solide et le même responsable, lui assurant ainsi la stabilité, et le tenant à l'écart de tout débordement, de toute déviation. "

« Entre parenthèses, il faut bien être conscient de la richesse des groupes d'accompagnement, au nombre plus ou moins élevé de participants, mais toujours très fervents. Chaque groupe est indépendant, sans contrôle tatillon ni contrainte excessive, indépendant dans la forme avec certaines particularités, mais chaque groupe partage l'essentiel avec tous les autres, principes fondamentaux incontournables, mettant à l'abri de toute dérive. Et dire qu'il y a des centaines de groupes, des milliers de participants, tant en France qu'à l'étranger. Quel formidable contrepoids au spectacle quotidien de l'égoïsme forcené actuel !

« Notre groupe, après des débuts modestes, s'est progressivement développé et structuré, accueillant des malades et des personnes en difficulté. Très vite, il est apparu que l'aide morale devait s'accompagner d'une aide matérielle, d'où la nécessité d'un certain volant financier. Comment financer des soins non remboursés, efficaces mais parfois onéreux, comment financer des heures de femme de ménage, d'aide ménagère, en complément bien sûr aux possibilités légales, comment faire plaisir, comment améliorer par de petits achats (four électrique) la qualité de vie de nos malades ? Tout simplement en augmentant nos possibilités financières. Fallait-il augmenter de façon sensible le montant de la cotisation annuelle ? Fallait-il faire appel constamment à la générosité des participants ?

« À ce sujet quel réconfort de toucher du doigt la solidarité du groupe. N., maman exemplaire d'une de nos petites malades, avait besoin pour travailler de faire l'acquisition d'une voiture d'occasion. Elle nous a demandé si nous pourrions l'aider en lui prêtant une somme d'argent assez importante. Après concertation et demande, la somme nécessaire a été largement couverte par des petits prêts individuels, chacun faisant selon ses moyens. L'argent a été remboursé rapidement par la suite.

« Il paraissait délicat de solliciter trop souvent nos adhérents. Aussi il a fallu creuser, trouver des idées et surtout les concrétiser. Presque simultanément deux ont germé. Ayant dans le groupe plusieurs membres dotés d'un joli coup de crayon ou de pinceau, nous avons décidé d'organiser une exposition-vente de tableaux et autres œuvres d'art, au profit de notre association, toutes les œuvres exposées et vendues étant des dons, le local d'exposition mis gracieusement à notre disposition par la municipalité et bien sûr tous les organisateurs bénévoles. La première exposition a eu lieu en septembre 1993, la seconde en septembre 1994, les deux ayant remporté un franc succès sur tous les plans. Nous comptons bien organiser la prochaine en septembre 1995.

« L'autre idée était la création d'un journal interne pour nos membres, trait d'union entre nous, racontant la vie de l'association. Le titre s'est rapidement imposé : *Maguizine,* c'est-à-dire le journal de l'association MAGUI. Mais le plus difficile reste à venir.

« L'équipe s'est mise au travail, dans l'inconnu, personne parmi nous n'ayant compétence ou expérience. Heureusement, il y avait la maîtrise du traitement de texte et de l'ordinateur. Les deux premiers numéros ont été publiés de façon très confidentielle, à très faible tirage. Ces premiers numéros sont très différents des numéros actuels ; en plus de leur intérêt historique, ils nous ont permis de faire nos premières armes, d'acquérir de l'expérience, et de trouver des solutions aux différents problèmes auxquels nous étions confrontés. C'était en somme une répétition.

« À cette même époque s'est produit un fait banal mais qui a eu une grande importance. Maguy et Daniel sont venus, de Grenoble, habiter à Champier. Maguy est originaire de Champier, et elle a désiré prendre un peu de recul, dans le calme de la campagne nord-iséroise et effectuer un retour aux sources. Or Champier est très proche de Bourgoin-Jallieu, dix minutes en voiture. Ce déménagement s'est avéré particulièrement profitable pour notre journal. En effet, très peu de temps après la parution du deuxième numéro, par je ne sais quel cheminement mystérieux, Maguy a eu en main notre magazine, qui certes lui a plu, mais qui surtout concrétisait une idée maintes fois évoquée, à savoir la création d'un bulletin de liaison entre les groupes se réclamant de son action. Devant l'ampleur du mouvement, une telle initiative était nécessaire, ne serait-ce que pour garder une certaine cohésion et faire en sorte que l'essentiel soit partagé. Aussi, un après-midi, je m'en souviens très bien, j'ai reçu un coup de téléphone de Maguy qui m'invitait à lui rendre visite à Champier et à lui présenter notre journal. J'étais à la fois heureux et perplexe. Heureux, car c'est toujours un grand plaisir de rencontrer Maguy et Daniel, surtout dans leur intimité ; perplexe, car je me demandais ce qu'elle désirait. Comme toujours, l'entrevue a été chaleureuse. Quel plaisir de bavarder librement avec Maguy ! Elle a beaucoup d'histoires à raconter, et elle le fait si bien, elle a le don de simplifier, de faire toucher du doigt l'essentiel. Pour le journal elle m'a félicité, et m'a clairement exprimé qu'elle souhaitait qu'il devienne l'organe " officiel " des groupes d'accompagnement. Immédiatement, j'ai saisi la balle au bond, en lui déclarant que j'étais très fier et que j'acceptais sa proposition, à une seule condition : qu'elle collabore à la réalisation du *Maguizine*. Elle a donné son accord. Le titre, avec son clin d'œil, serait conservé. Par contre, le contenu et la forme du journal allaient évoluer. Notre proximité permettait de fréquentes rencontres nécessaires à l'élaboration et à la mise en forme des textes et informations. En plus nous avons évoqué la possibilité de présenter et de faire parler des personnes ayant vécu des expériences importantes et intéressantes au sein des groupes. La première interrogée serait notre ami Jacques Brossier, dentiste déjà célèbre pour son engagement aux côtés de Maguy.

« C'est ainsi que parut le troisième numéro, nouvelle formule, déclarant : " Les dés sont jetés ", avec le démarrage d'une rubrique intitulée : " Le mot de Maguy Lebrun ", et l'interview de Jacques Brossier. Par la suite nous avons donné la possibilité à nos lecteurs d'interroger Maguy et elle répond par l'intermédiaire des colonnes du *Maguizine*.

« Ceci constitue la naissance du journal, enfant naturel de notre petite association, mais qui très vite a eu le privilège d'être parrainé par une marraine célèbre, Maguy. Actuellement sa parution est trimestrielle. Il est vendu par abonnements, l'argent recueilli servant bien sûr à sa publication (nous avons maintenant un journal imprimé), et aussi à aider nos malades selon les buts initiaux. L'équipe dirigeante est entièrement bénévole, j'en profite pour lui exprimer ma gratitude. Merci Solange, Françoise, Paulette, Marie-Claude, merci à tous ceux qui nous aident.

« À présent, nous avons réalisé huit numéros. Avec le dernier, c'est-à-dire le numéro 8, débute la présentation des groupes " Maguy Lebrun ". Nous avons eu la chance de vivre un événement exceptionnel, la journée de l'amitié 1994 à Grenoble commémorant le cinquantième anniversaire de la prise d'otage d'Etty à la grotte de la Luire, dans le Vercors. C'est pourquoi nous avons consacré le numéro 6 à rendre hommage à Etty et le numéro 7 à rendre compte de cette journée si émouvante, la fête de l'Amitié. Je suis persuadé que ces deux numéros garderont tout leur intérêt au fil du temps.

« Nous recevons beaucoup de marques de sympathie et d'encouragement. Il existe un grand besoin de communication et d'information, le journal constituant un organe privilégié pour remplir ce rôle. En fait, de façon un peu schématique, on pourrait dire que notre démarche actuelle est sous-tendue par le désir d'union, de rapprochement de tous les groupes parfois nés presque spontanément. Il y a également la conviction qu'il faut consigner les événements présents si importants pour que leurs traces soient conservées. C'est un peu comme l'album de photos familiales que l'on prend plaisir à regarder bien longtemps après. Enfin il y a également la certitude qu'un certain nombre de personnes que nous côtoyons, de par ce qu'elles ont vécu et de par ce qu'elles sont devenues, peuvent servir d'exemple, ou tout du moins de référence. C'est pourquoi nous sommes avides de témoignages, c'est pourquoi nous interrogerons régulièrement certaines personnes. Enfin nous voulons faire profiter de toute la richesse de la pensée de Maguy et Daniel, au fil d'entretiens presque confidentiels et de réponses à nos questions. Les prochains numéros nous réserveront peut-être une surprise.

« Deux ans déjà, une motivation plus qu'intacte, en forte hausse, une adhésion croissante se traduisant par l'augmentation sensible du nombre de nos lecteurs, le soutien affectueux et l'aide chaleureuse et efficace de Maguy et Daniel, dans ces conditions nous sommes très optimistes et nous sommes surtout très heureux et fiers de participer à ce grand courant d'amitié et d'accompagnement où le mot " fin " n'existe jamais. »

LA PRESSE
(Extrait du *Dauphiné libéré*
du 14 novembre 1994) :
« ÉCOUTER AVEC L'OREILLE
ET LE CŒUR »

« L'association "Nos enfants de lumière", lieu d'écoute pour des parents qui ont perdu un fils ou une fille, a tenu son assemblée générale animée par le docteur Yves Waille, président.

Tous ont un point commun : la perte d'un enfant. Celle qui engendre une douleur incommensurable. Un vide qui ne sera jamais comblé.

Entre l'accablement qui occulte toute perspective de réapprentissage de la vie au quotidien et le moment où l'espoir renaît, combien d'étapes à franchir ? Éviter le regard des autres ? Ne plus savoir à qui se confier ? Immense détresse que celle de ces familles brisées par ce " coup du sort "...

C'est pour cette raison que l'association " Nos enfants de lumière " a été créée. Pour apporter un soutien moral et éventuellement matériel aux parents confrontés à cette épreuve.

Michel Delpech et Maguy Lebrun

C'est donc à Champier que s'est tenue cette assemblée générale animée par le docteur Yves

Waille, président. De la région, du nord de la France, mais aussi de Suisse et de Belgique, ils sont venus ces parents. L'occasion pour le président de parler des groupes de paroles. Où l'on " s'efforce d'être à l'écoute de l'autre avec l'oreille et le cœur de ceux qui sont passés par cette épreuve ". Et de donner quelques règles simples : des petits objectifs de vie à réaliser au quotidien. " On ne peut pas vivre tout le temps dans la douleur. " Dans son rapport moral, le président Yves Waille devait également constater que l'association se développait avec quelque cent adhérents. Et de souligner que " l'amitié, la solidarité étaient les piliers de l'association ". Il annonça également que, pour des raisons pratiques, le siège avait été transféré à Meylan, dans la région grenobloise.

Après les débats, Maguy Lebrun, qui a parrainé l'association et qui s'occupe actuellement de l'accompagnement des malades à structure médicale, a rejoint le groupe. Ainsi que le chanteur Michel Delpech qui a participé à la réalisation de cassettes : " Mon enfant de lumière ". »

RÉFÉRENCES - ADRESSES UTILES

Ouvrages :

Maguy LEBRUN, *Médecins du Ciel, médecins de la Terre,* Éd. Robert Laffont, 1987.

Maguy LEBRUN, *L'amour en partage,* Éd. Robert Laffont, 1992.

Hugo LEBRUN, *J'ai choisi ma famille,* Éd. Robert Laffont, 1994.

F. DE GRAVELAINE et P. SENK, *Vivre sans drogue,* Éd. Robert Laffont, 1995.

J. DE GRAVELAINE et F. DELFIEU, *Parole d'adopté,* Éd. Robert Laffont.

Jean-Pierre RELIER, *L'aimer avant qu'il naisse,* Éd. Robert Laffont, 1993.

Alain GUILLO, *À l'adresse de ceux qui cherchent,* Éd. Robert Laffont, 1988.

Michel DELPECH, *L'homme qui bâtit sa maison sur du sable,* Éd. Robert Laffont.

Élisabeth FRIT, *L'alcool, toi, moi et les autres,* Éd. La Tempérance B.P. 12, 63250 Chabreloche.

Cassettes vidéo :

Maguy - Daniel racontent, Lib. L'Or du Temps, 38000 Grenoble.
La journée Amitié 1994, Thibault Lebrun, 38120 Saint-Égrève.

Adresses :

Françoise Desmoulin : 55, boulevard Foch, 38000 Grenoble.
Hugo Lebrun : 55, boulevard Foch, 38000 Grenoble.

Achevé d'imprimer en novembre 1995
sur presse CAMERON
dans les ateliers
de Bussière Camedan Imprimeries
à Saint-Amand-Montrond (Cher)
pour le compte des éditions Robert Laffont
24, avenue Marceau, 75008 Paris

N° d'édition : 36620/R02. N° d'impression : 4/937
Dépôt légal : novembre 1995

Imprimé en France